maquillaje

PARANINFO

maquillaje

Una guía completa con resultados profesionales

rosie watson

PARANINFO

COPYRIGHT © 2009 Paraninfo
Magallanes, 25
28015 Madrid (España)

ISBN-10: 84-283-2846-3
ISBN-13: 978-84-283-2846-3

Traducción: Yago Moreno
Revisión técnica: Sílvia Echevarría
Editor: Andrés Otero

Traducido de: *Make-up. The complete guide to professional results*

ISBN 978 1 84537 720 5

Senior Editor Corinne Masciocchi
Designer Lisa Tai
Photographer Paul West
Production Marion Storz
Editorial Direction Rosemary Wilkinson

Impreso en China - Printed in China

contenido

6	La filosofía
8	Las herramientas
16	Los retos
32	La base perfecta
58	El lienzo natural
64	Los fondos de maquillaje
78	Ojos
90	Mejillas
96	Labios
102	Maquillaje para hombres
110	Adolescentes
116	Iluminación y opciones profesionales
130	La apariencia final
157	Agradecimientos
158	Índice

la filosofía

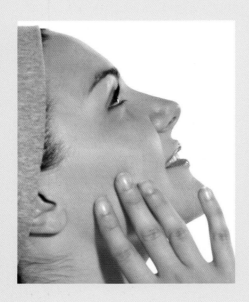

Mira en el espejo... solo hay una persona en el mundo que se parezca a ti, y ésa eres tú. No hay mujer más hermosa que la que está sana y se siente feliz en su propia piel. La seguridad y la confianza en una misma son cualidades maravillosas y, aunque no sean cualidades que siempre encuentres en ti o en las demás, se pueden desarrollar con la ayuda del maquillaje. No hay atajos ni reglas puras y duras sobre la aplicación del maquillaje, así que tendrás que experimentar con los colores y las distintas imágenes hasta que encuentres el estilo que se ajusta a ti o a las necesidades de tus clientes.

Una mujer no debería esconderse nunca bajo una capa de maquillaje sino que, por el contrario, debe permitir que éste potencie su belleza natural y refleje su calidez interior. A lo largo de mi carrera he aprendido numerosos trucos fabulosos, al haber estado rodeada de mujeres profesionales, artistas y creativas, y espero que este libro te anime a ver el maquillaje bajo una luz más inspiradora.

Siempre pensé que el maquillaje era una moda y que, siguiendo a la gente, estaría atractiva y en la onda. Pero, ¡cuánto me equivoqué cuando opté por el naranja! El arte del maquillaje consiste en sentirse bien con lo que una se pone en la cara. Así que no siempre es aconsejable seguir la última moda, ya que el maquillaje debería reflejar la personalidad y el estado de ánimo de la persona, pero también su estilo de vida y su tipo de ropa.
He optado por trabajar con «gente real» en este libro para ilustrar cómo puede traslucir la auténtica belleza. También he utilizado ideas más extravagantes que, en mi opinión, son tan

solo sencillas y maravillosas formas de manipular los productos y las herramientas para tener más opciones de maquillaje. "¡Ya claro!", piensas, "sólo hay una forma de poner la máscara de pestañas", pero te enseñaré que hay muchas formas de llevarlo.

En los años cincuenta la gente estaba desesperada por conseguir un maquillaje tan básico como carmín de labios rojo y lápiz de ojos negro, que era más o menos lo único que se tenía disponible. En los sesenta y setenta la experimentación adquirió un segundo plano, porque lo que se utilizaba fundamentalmente era un color único para exagerar los ojos, con poco color aplicado en otras partes, aunque las tendencias del maquillaje cambiaron al final de esta época para incorporar todo tipo de colores. En los ochenta y los noventa había demasiado de todo, y ahora, en el nuevo milenio, se puede ser todo lo glamurosa o todo lo natural que se quiera. ¡Nunca antes hubo tanta elección y tantas variedades de color, textura, sombras y brillos! A medida que la década se aproxime a su fin el maquillaje seguirá cambiando y asistiremos a la invención de productos que sorprenderán incluso a la más experimentada artista del maquillaje. Pero espero con entusiasmo el cambio y espero que tú también.

Rosie

“ No hay mujer más hermosa que la que está sana y se siente feliz en su propia piel ”

01 las herramientas

las herramientas

Precisión es lo que se necesita para conseguir un maquillaje impecable, y solo se puede lograr con las herramientas y utensilios adecuados. Las puntas de los dedos constituyen un elemento vital de la caja de herramientas, y son los mejores utensilios para difuminar; pero para llegar a los rincones más recónditos del párpado y el contorno del ojo hace falta utilizar el pincel pertinente. Los mejores pinceles son suaves al tacto, y tienen una forma acorde al área de la cara que se va a tratar. Han de ser fáciles de limpiar y no deben soltar pelo.

Existen tanto pinceles naturales como sintéticos, y los sintéticos suelen ser más fáciles de limpiar, aunque hay que destacar la increíble capacidad que tiene un pincel muy poblado de atrapar el pelo natural. Los mejores pinceles dan una sensación de robustez al tiempo que son lo suficientemente ligeros como para lograr una aplicación parecida a la de una pluma. Un buen conjunto de pinceles puede durar varios años y puede terminar siendo tu mejor inversión, por lo que debes elegirlos sabiamente y siempre debes pedir que te dejen probarlos antes de compararlos.

TIPOS DE PINCELES
① pincel de cejas
② esponja difuminadora
③ pincel para aplicar la base
④ pincel redondeado para sombrear el contorno de ojos
⑤ pincel para el contorno facial
⑥ pincel para sombras pequeñas
⑦ pincel recto para sombrear los ojos
⑧ delineador de ojos angular
⑨ separador de cejas/pestañas angular
⑩ pincel redondeado para labios
⑪ ⑫ difuminadores de sombras para ojos
⑬ pincel para empolvar
⑭ ⑮ pinceles de polvos

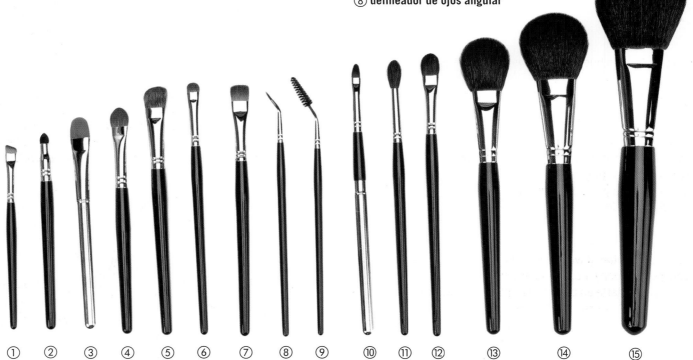

① ② ③ ④ ⑤ ⑥ ⑦ ⑧ ⑨ ⑩ ⑪ ⑫ ⑬ ⑭ ⑮

> " Cuando se trata de los **pinceles**, el segundo en calidad nunca es lo bastante bueno, pero el **mejor** ¡nunca es el más caro! "

De vuelta a lo básico

Todo pincel tiene su propio propósito, por lo que debes comprar cada uno por separado en función del tipo de maquillaje que utilizas a diario. No tiene sentido tirar el dinero en algo que no vas a utilizar jamás. No obstante, hay unas pocas cuestiones básicas esenciales, aparte de los pinceles, que también deberías incluir en tu equipo.

Rizador de pestañas El viejo estilo suele ser lo mejor y ¡no hay duda de que así es en el caso de los rizadores de pestañas! Las pestañas rizadas dan una apariencia fantástica, con o sin maquillaje, porque abren el ojo y le dan profundidad.

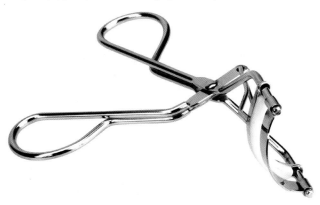

Sacapuntas Un buen sacapuntas debe tener dos agujeros: uno para los lápices gordos y otro para los delineadores. ¡Un buen sacapuntas le puede ahorrar mucho dinero en lápices! A menudo, los sacapuntas de plástico son los mejores porque son duraderos y ligeros y menos proclives al óxido.

Pinzas de depilar ¡Invierte en un buen par de pinzas y llévalas contigo para depilar cualquier vello rebelde antes de presentarte en público! Las puntas de las pinzas son muy diversas pero, a menudo, las puntas redondeadas o cortadas en ángulo son mejores, porque son más fáciles de manejar y son muy buenas agarrando los pelos. Las versiones con punta afilada o punta plana pueden provocar dolor si no se utilizan correctamente, porque es fácil arañar o pellizcar la piel con este tipo de pinzas.

Cuñas Es posible que no utilices las cuñas habitualmente pero, cuando llegue el momento, ¡te alegrarás de haber invertido en ellas! Son estupendas para difuminar y retocar a lo largo del día; asegúrate de que las cambias regularmente para evitar propagar infecciones y utiliza siempre las tuyas propias.

Bastoncillos de algodón Los bastoncillos de algodón son la mejor herramienta para quitar pegotes o eliminar errores en zonas difíciles de alcanzar, y para difuminar el lápiz de ojos si no tienes un pincel. No caigas en la tentación de volver a utilizar una y otra vez el mismo bastoncillo: solo deben ser utilizados un par de veces antes de tirarlos.

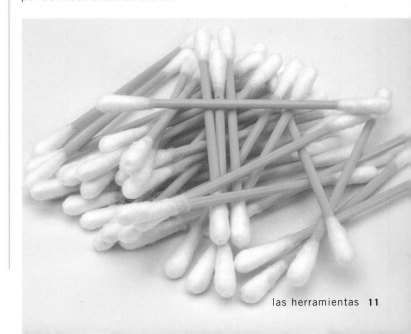

La caja de "herramientas"

Si le das a un artista un pincel te pintará un cuadro, pero si le das toda una selección de pinceles podrá crear algo realmente único con distintas texturas, toques y efectos. Cuando se atiende a un cliente se espera que una tenga pinceles profesionales, pero para su equipo casero sólo tienes que invertir en una pequeña selección, pero buena.

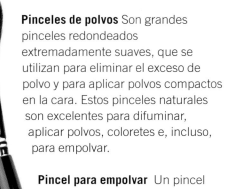

Pinceles de polvos Son grandes pinceles redondeados extremadamente suaves, que se utilizan para eliminar el exceso de polvo y para aplicar polvos compactos en la cara. Estos pinceles naturales son excelentes para difuminar, aplicar polvos, coloretes e, incluso, para empolvar.

Pincel para empolvar Un pincel más pequeño, redondeado, que sigue siendo extremadamente suave, y que puede cubrir fácilmente el pómulo sin esparcirse demasiado para impedir que se extienda demasiado color por la mejilla.

Pincel para aplicar la base Un pincel de tamaño medio pero plano, redondeado y sintético, que se utilizará para aplicar la base de crema o el corrector. Este pincel firme ofrece precisión y un acabado final.

Pinceles de polvos

Pincel para empolvar

Pincel para aplicar la base

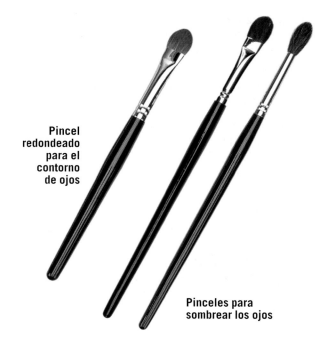

Pincel redondeado para el contorno de ojos

Pinceles para sombrear los ojos

Pincel redondeado para el contorno de ojos Es bueno tener dos pinceles de este tipo: uno para las sombras claras y otro para las oscuras. Los pinceles sintéticos ofrecen líneas de buena precisión y añaden profundidad a las sombras, mientras que los pinceles de sable, al ser más suaves, son excelentes para difuminar y dar acabados.

Pinceles para sombrear los ojos Se trata de pinceles suaves, de cerdas sueltas, excelentes para difuminar los perfiladores líquidos así como para combinar sombras claras y oscuras.

Pincel recto para sombrear los ojos Este pincel firme y cuadriculado es excelente para puntear en el contorno de los ojos o para fijar el delineador líquido antes de difuminarlo, ya que ofrece una gran precisión.

Pincel para el contorno de la cara Este pincel biselado es excelente para resaltar con precisión y dar sombras en la cara, especialmente en las mejillas. Se puede utilizar un pincel de este tipo para casi cualquier cosa, por lo que puedes adaptarlo para ajustarlo a tus necesidades cotidianas.

Pincel recto para sombrear ojos

Pincel para el contorno de la cara

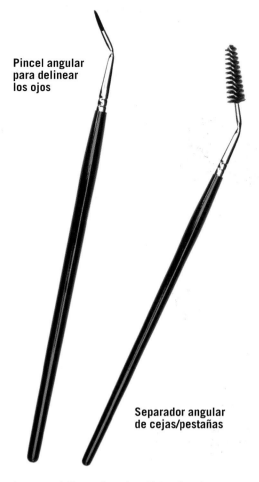

Pincel para sombras pequeñas Este pincel redondeado, muy pequeño, es excelente para trabajar a lo largo de las pestañas o cerca del ojo con sombra, ya que es firme y permite tener una gran precisión. También es un difuminador de gran calidad, especialmente eficaz en líneas de sombras oscuras o delineadores.

Pincel redondeado para labios Es el principal pincel de labios puesto que es firme y tiene el tamaño de los labios. Está diseñado para dar precisión sin inundar los labios de color, y permite crear un perfilado de labios perfecto.

Pincel para las cejas Este pincel biselado está perfectamente diseñado para dibujar el contorno de las cejas, además de para aplicar y difuminar lápices y sombras de ojos. Utiliza toda la longitud del pincel para esparcir el polvo. No puntees o restriegues las puntas del pincel, ya que estropeará las delicadas cerdas del pincel.

Pincel para sombras pequeñas

Pincel angular para delinear los ojos

Separador angular de cejas/pestañas

Pincel redondeado para labios

Pincel para cejas

Pincel angular para delinear los ojos Este pincel, de aspecto extraño, curvo, tiene una forma ideal para trabajar alrededor de los ojos con detalle con un delineador líquido.

Separador angular de cejas/pestañas Tiene un ángulo colocado para llegar a los bordes de las pestañas y las cejas para separar y peinar los pelos a la perfección. También es excelente para aplicar una máscara clara en estas áreas. Asegúrate de limpiar el pincel con regularidad para evitar que las cerdas se llenen de máscara.

Esponja para difuminar ¡La reina del equipo de maquillaje! La esponja para difuminar es excelente para difuminar el delineador de ojos y para trabajos con sombras detallados en torno a los ojos, ¡así como para cualquier otra cosa que tengas que difuminar!

Esponja para difuminar

Cómo guardar los pinceles

Las artistas profesionales del maquillaje insisten en utilizar el pincel correcto en cada zona específica de la cara, ya que facilita su trabajo. Los paquetes de aplicadores de esponja que se pueden comprar en una farmacia son buenos, pero para lograr realmente precisión y mejorar su destreza compra pinceles profesionales y verás la diferencia. Con frecuencia nos gastamos una increíble cantidad de dinero en productos de maquillaje, ¡y después no nos preocupamos por aplicarlos correctamente!

Cuida tus pinceles y guárdalos en una bolsa, un rollo o una caja diseñada para mantenerlos protegidos y alejados del polvo y posibles daños.

Para evitar daños al pincel y una contaminación entre los distintos pinceles asegúrate de que los limpias bien tras cada uso. Los pinceles cogen microbios y bacterias que pueden provocar infecciones y dermatitis si no se mantienen meticulosamente limpios.

trucos del profesional

PARA LOS PINCELES

- Prueba siempre los pinceles que quieras comprar antes de comprarlos, cepillando la palma de la mano para asegurarte de que no se caen las cerdas.

- Asegúrate de comprar un limpiador específico para el pincel ya que, aunque se puede utilizar agua caliente y jabón, pueden dejar residuos en las fibras del pincel, que pueden dejar pegotes y provocar la concentración del color en determinados puntos. El limpiador de pinceles contiene alcoholes suaves que disuelven la grasa y cualquier acumulación de productos cosméticos en las fibras del pincel.

- Los pinceles deben ser firmes, pero flexibles, y las cerdas se deben de esparcir homogéneamente cuando se aplica presión.

02 los retos

s retos

Cada trabajo de maquillaje plantea sus propios retos, y el proceso de superarlos resulta extremadamente gratificante. No todas las pieles tienen una apariencia suave y cremosa, y no todas las mujeres tienen rasgos de modelo pero, con la aplicación adecuada, el maquillaje puede transformar los rasgos, suavizando aquellos que no son tan agradables y resaltando aquellos que sí lo son. No hay nada más satisfactorio que sacar el máximo provecho de los rasgos naturales de una persona y, con frecuencia, muchas mujeres se sienten increíblemente conmovidas cuando ven su transformación tras el maquillaje.

> El maquillaje puede ser un reflejo de la expresión interna, o un refuerzo emocional

Interpretación de la piel

No todas las pieles toleran el maquillaje, porque el tratamiento les está "contraindicado". Esto significa que la aplicación de maquillaje podría resultar perjudicial, ya sea porque la piel está dañada o porque es susceptible de padecer una reacción alérgica. Interpreta los mensajes externos de la piel y decide si tienes que hacer cambios para que la aplicación del maquillaje sea segura y cómoda.

Pieles sensibles

Con frecuencia sufren sensibilidad cuando se utilizan preparados para la piel y el maquillaje. La sensación de picor, la inflamación, un acaloramiento excesivo, punzadas e irritaciones son reacciones comunes a productos que contienen perfumes, alcohol y conservantes. Protege la piel sensible con un producto de base preparatoria (prebase) que se aplica encima de la crema hidratante y actúa como barrera para proteger la piel de los ingredientes agresivos.

Atenta a los cambios

La piel cambia con regularidad para ayudar a protegerla del entorno, los elementos contaminantes y los cambios de temperatura, además de ser un reflejo de su estado de salud y bienestar interno. Cambia tu rutina cuando sea necesario para adaptarse a la piel del cliente que tenga en cada momento. Con frecuencia, la crema hidratante o la base de maquillaje que se utilizan en verano tienen una consistencia demasiado ligera y un color demasiado oscuro para utilizarlas en invierno. La cobertura de los colores cambia a lo largo del año a medida que la piel cambia de color, por lo que debes ser flexible y adaptar el cuidado de la piel y la rutina de maquillaje. Si se produce un cambio extraño de la piel a lo largo del año, debes acudir al médico o al dermatólogo. El sol puede provocar lesiones, además del crecimiento de irregularidades de la pigmentación por lo que, para tu tranquilidad, debes comprobar regularmente el estado de tu piel.

Hiper-pigmentación

Los desórdenes de pigmentación de la piel se producen porque el cuerpo produce, o bien demasiada, o bien demasiado poca melanina, un pigmento que crea el color del pelo y de la piel. En las pieles claras, la hiper-pigmentación se manifiesta como pequeñas manchas de piel más oscura, y en las pieles más oscuras pueden aparecer manchas más claras. Se puede aplicar maquillaje sobre estas áreas, y un corrector más potente del mismo tono que el de la piel puede compensar los cambios de color en la cara.

También se pueden tratar muchas enfermedades de la piel con maquillaje pero, como artista del maquillaje, tendrás que saber cómo identificarlas, de forma que puedas tomar una decisión informada de si es seguro y cómodo seguir para el cliente. Puedes pensar que se puede cubrir un herpes labial pero, cuando después salgan tres más, ¡te llevarás una desagradable sorpresa! En caso de duda, no te arriesgues, haz que cualquier cambio de la piel sea analizado por un médico o dermatólogo.

Pigmentación problemática

El cloasma, el vitíligo, el lentigo, y las manchas rojas de nacimiento son irregularidades comunes de la pigmentación. Aparecen como una decoloración en la cara, normalmente de apariencia marrón o rosa, y se pueden cubrir con maquillaje utilizando técnicas de camuflaje para homogeneizar la textura y el color de la piel.

Lucha contra las bacterias

Los furúnculos, los orzuelos, la conjuntivitis y el impétigo son todos tipos de infecciones bacterianas que pueden afectar a la aplicación del maquillaje. La mayoría son contagiosas e infecciosas, por lo que se necesitan los consejos de un médico antes de aplicar el maquillaje e impedir una infección a tí misma o a otras.

Infecciones víricas

Los herpes labiales, herpes de la piel, las verrugas y los papilomas son infecciones virales extremadamente difíciles de eliminar ya que el virus permanece en el cuerpo durante años, a menudo durante toda la vida, resurgiendo en momentos de estrés o de baja inmunidad. Es necesario evitar el maquillaje siempre que sea posible para evitar una infección de la piel circundante.

Infecciones por hongos

La tiña se manifiesta como manchas rojas con escamas de piel seca y puede afectar a la cara, la cabeza, los pies, las manos y las uñas. Siempre debes consultar al médico antes de aplicar maquillaje en estas áreas, ya que la tiña es muy contagiosa y puede infectar con mucha facilidad otras partes del cuerpo.

Desórdenes de la piel

Los problemas de la piel a largo plazo, como eczemas, que provienen del flujo sanguíneo, la dermatitis, provocada por fuentes externas como las joyas, y la psoriasis, pueden ser enfermedades traumáticas cuyos síntomas varían, desde piel seca escamada hasta heridas abiertas, que sangran y pican. En algunos casos se desconoce la causa de estas enfermedades, aunque la mayoría de las pacientes afirma que el estrés, la ansiedad y la falta de bienestar contribuyen en cierta medida. Se puede poner maquillaje pero, si la piel está dolorida, es mejor dejarla sanar de forma natural.

El maquillaje para camuflar, como una base gruesa y los correctores que disimulan el color y las irregularidades de la piel, dan una apariencia de una tonalidad homogénea. Elije productos que tengan exactamente el mismo tono y base que tu piel y utilízalos para eliminar la pigmentación desigual. Este maquillaje logra maravillas con las marcas de nacimiento más oscuras, como las marcas rojizas o las marcas color de fresa. Si quieres reducir el color rojizo, aplica las reglas de ocultación habituales, pero utiliza un maquillaje único de consistencia gruesa.

Infección

Todos los días perdemos millones de células de piel y de pelos, y sudamos cientos de mililitros de sudor, pero no podemos verlo de cerca. Nunca se me pasa por la cabeza utilizar los pinceles de otras profesionales del maquillaje, y nunca me piden prestados los míos. Es una cuestión de responsabilidad y profesionalidad el no ponerse a una bajo el riesgo de infectarse con bacterias o virus.

Los productos de limpieza de los pinceles son útiles en cierta medida para eliminar el maquillaje utilizado y las bacterias de

> **El utilizar la máscara de una amiga es como decir, '¿me prestas tu piel muerta, tus parásitos y tus secreciones oculares para que me los ponga en los ojos?' ¡Puaj!**

tus pinceles, pero debes tener en cuenta que hacen falta productos químicos muy potentes y un calor muy elevado para matar a la mayoría de las bacterias y los virus, por lo que no debes suponer nunca que los pinceles están totalmente limpios, ¡porque no lo están!

Los productos desechables, como servilletas y esponjas, nos permiten protegernos en cierta medida. Pero, al seguir un estricto régimen de seguridad e higiene, utilizando productos desechables, limpiándonos las manos antes y después de la aplicación, y limpiando el equipo tras utilizarlo, reducirá la probabilidad de una infección.

¡Un día de pésimo maquillaje!

Podemos tener un día de un pésimo maquillaje, en cualquier momento, en cualquier lugar, y casi siempre cuando vamos con prisas o ¡tenemos que dar la mejor impresión! ¡He conseguido dar un tratamiento de maquillaje utilizando únicamente trozos de algodón y bastoncillos cuando me he olvidado los pinceles! Se puede conseguir, sólo hace falta ser valiente y enfrentarse directamente al problema. El peor error que puedes cometer es ¡perder los estribos y quitarte el maquillaje! Es como estropear una uña con el barniz; se espera a que se seque, se limpia y se vuelve a aplicar el esmalte.

Problemas cotidianos

Hay medidas para combatir cualquier problema y, espero, estos trucos te resultarán útiles:

Sudoración Cuando tienes prisa o estás atribulada, lo último que necesitas es que te resulte difícil ponerte el maquillaje porque tienes demasiado calor y estás demasiado azorada, por lo que lo mejor es encontrar un abanico o una ventana y refrescarse. El agua se evapora rápidamente, por lo que una corriente de aire adicional te ayudará a eliminar el exceso de agua de la cara.

Debes secar el exceso de sudoración con una toalla dando golpecitos: no debes restregar nunca la toalla, o se quitará el maquillaje. Puede pulverizarse agua en la cara para lograr el muy necesitado efecto de refrescarse, y para eliminar la sal del

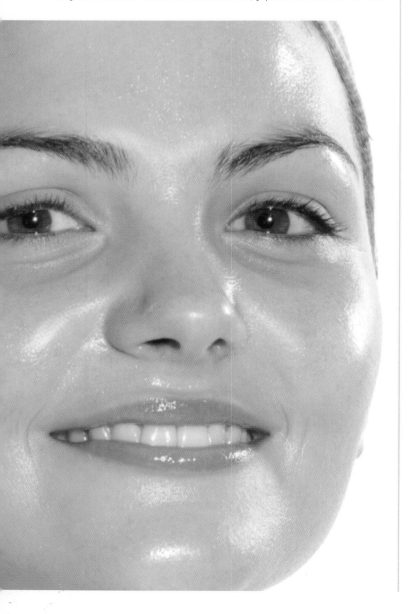

sudor, con lo que lograrás dar a tu piel una apariencia y una sensación de frescor.

Los granos pueden ser una auténtica maldición, y es infrecuente que el maquillaje se adhiera a un brillante grano. Utiliza un corrector de base de cera del color de la piel para cubrir la zona enrojecida, pero aplícalo con un bastoncillo de algodón ya que el calor de los dedos esparcirá demasiado el producto. Aplica polvos para sellar el corrector con lo que conseguirás una superficie más pálida, menos visible. Si todo lo demás falla, aplica una base normal y ¡díle a todo el mundo que sigues siendo tan joven que te siguen saliendo espinillas!

Nunca te revientes una espinilla antes de aplicar el maquillaje, ya que rezumará y las bacterias que hay en ella pueden propagarse. La opción de rellenar el hueco de una espinilla reventada no es la mejor, ¡inevitablemente te saldrá otra!

Un maquillaje desigual puede dar una apariencia desastrosa porque la piel no tendrá una textura homogénea, o tendrá un grado de hidratación desigual. Bastará con seguir una buena rutina de cuidado de la piel y con ponerse crema hidratante antes de maquillarse. Se puede lograr una superficie impecable utilizando un producto de base preparatoria o prebase para dejar la piel mate antes de aplicar el maquillaje.

Antienvejecimiento

Dada la presión para mantenerse joven más tiempo, muchas de nosotras estamos recurriendo a tratamientos antienvejecimiento en un intento de prolongar la apariencia juvenil. El mercado de este tipo de productos es inmenso (y, en ocasiones, engañoso) e incluye tanto los tratamientos médicos de cosmética disponibles como los de los salones de belleza y los estantes del supermercado. Así pues, ¿qué elegir?

Hay una serie de productos naturales que se pueden utilizar tanto interna como externamente para mejorar la capacidad de regeneración de la piel, pero primero tenemos que fijarnos en cómo se ve afectada la piel por las presiones cotidianas de la vida moderna.

RADICALES LIBRES

Los radicales libres son moléculas de oxígeno perturbadas que son perjudiciales para la salud y para el funcionamiento interno del cuerpo. Están provocados fundamentalmente por la radiación ultravioleta del sol, el estrés, la obesidad, el consumo de tabaco, la contaminación y los aditivos químicos.

Un cuerpo sano puede afrontar los ataques habituales de los radicales libres pero, si hay un exceso de exposición a uno o más de los factores mencionados anteriormente, el cuerpo empieza a degenerarse. Uno de los primeros síntomas visibles es un cambio de la apariencia de la piel. La piel empezará a perder firmeza y a arrugarse mucho antes. Así pues, ¿hasta qué punto estamos acelerando el proceso con nuestro estilo de vida?

Nos podemos defender de estos inquietantes radicales libres aumentando nuestra exposición a antioxidantes. Se trata de complejos químicos que tienen un efecto reparador y destruyen el daño provocado por los radicales libres. Se pueden encontrar antioxidantes naturales en las vitaminas A, C y E y, a menudo, las profesionales del maquillaje utilizan estas vitaminas tópicamente para promover una textura homogénea.

Sabemos que una exposición al sol sin protección provoca afecciones de la piel, por lo que resulta esencial utilizar a diario una protección solar de al menos factor quince para luchar contra los radicales libres y mantener una piel juvenil. La piel absorbe los potentes rayos ultravioletas de la piel y, al hacerlo, deforma y daña las células lo que, con el tiempo, puede provocar un cáncer de piel.

El comer alimentos preempaquetados y con colorantes y conservantes artificiales aumenta, de nuevo, la ingesta de radicales y tendrá un efecto nocivo sobre tu piel, aumentando la sequedad y fomentando la descomposición celular, lo que provocará arrugas y líneas notorias.

El té verde y los extractos de hierbas o frutas son extractos naturales que se añaden a los cosméticos. Son antioxidantes naturales que trabajan para proteger su piel de los rayos ultravioletas del sol, los rayos que hacen que se queme la piel cuando está expuesta a ellos. A su vez, esta piel dañada reduce la producción de colágeno y, por consiguiente, aumenta la producción de arrugas, por lo que se deben dar pasos preventivos para reducir los efectos de estos rayos naturales.

▶ *La fusión de los extractos de frutas, hierbas o plantas potencia el poder antioxidante de los cosméticos.*

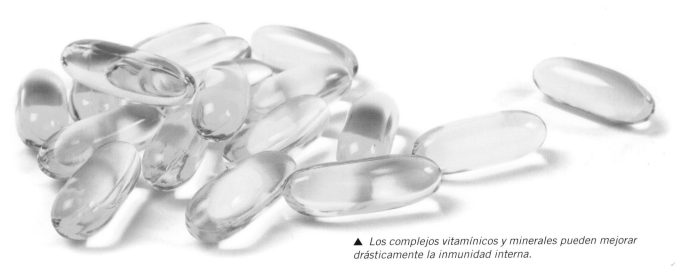

▲ *Los complejos vitamínicos y minerales pueden mejorar drásticamente la inmunidad interna.*

"Viva la vida a través de tu piel: ¡no te escondas tras ella!"

La inevitable genética

Sencillamente, eres mitad tu madre y mitad tu padre, por lo que la forma más fácil para hacerse una idea de qué apariencia tendrás cuando sea más mayor es ¡mirándolos directamente! Se puede lograr cierta mejora reduciendo los daños radicales a lo largo de tu vida, ¡por lo que no debes temer nada!

Las personas que tienen, por genética, una buena piel se pueden contar con los dedos de una mano. La mayoría tiene que esforzarse un poco para lograr los resultados que quiere con su piel y, a menudo, no queda satisfecha. Por ello, hay mucha gente que recurre a intervenciones clínicas y quirúrgicas que proporcionan resultados inmediatos.

Hoy en día, cada vez hay más gente que recurre a la jeringuilla o al bisturí para cambiar su apariencia. Genéticamente, una es como es, y el aceptarlo debería imponer límites realistas a lo que puede conseguir, o no, con su apariencia. Algunas personas se cambian continuamente recurriendo a la cirugía, ya sea para crear una apariencia totalmente nueva o para intentar equilibrar algunas insatisfacciones internas.

La genética puede ser cruel o maravillosa, pero la piel que tiene es con la que tiene que trabajar, por lo que, si eres realista, te ahorrarás sentirte angustiada por tu piel y estimular la necesidad de cambiar.

Futuro fabuloso

Hay quien los adora y hay quien no los tocaría por todo el oro del mundo. Se están desarrollando continuamente productos antienvejecimiento para ayudar a superar nuestras preocupaciones por el envejecimiento. Pruébalos, y observa si notas una diferencia, pero no te recomiendo que intentes hacerte tú misma una exfoliación química o una extirpación de la dermis en casa: aunque existen muchos productos disponibles, han sido fabricados para ser sustancialmente menos potentes que los productos profesionales y, por tanto, ¡los resultados pueden ser mediocres! Deberías dejarlo en manos de los profesionales.

ALGUNOS DE LOS INGREDIENTES CLAVE ACTUALES EN EL MERCADO DE LOS PRODUCTOS ANTIENVEJECIMIENTO SON:

★ **Co-enzima Q10** Utilizada para potenciar la energía en una célula de piel y para promover el rejuvenecimiento de las células sanas. También es un potente antioxidante que previene los daños provocados por los radicales libres a los centros de energía de las células de la piel. Se trata de un compuesto químico y no hay evidencia que sugiera actualmente hasta qué punto penetran los ingredientes en la piel pero, sin embargo, la co-enzima Q10 también se encuentra de forma natural en nuestros cuerpos y en complementos dietéticos, como hígado, riñones, ternera, aceite de soja, sardinas, caballa y cacahuetes, que ayudan a mantener las decrecientes cantidades a medida que vamos envejeciendo. ¡Se pueden duplicar los efectos utilizando un producto tanto interna como externamente!

★ **Ácido hialurónico** Un ácido que contiene mil veces su peso en agua y que, cuando se aplica en la piel, proporciona cualidades de súper hidratación. Se encuentra en la dermis y ayuda a mantener el colágeno y la elastina en la piel. Tenemos una gran cantidad de este ácido producido naturalmente en nuestro cuerpo cuando nacemos pero, con la edad, disminuye la cantidad y es más difícil conseguir una piel suave y homogénea. Se puede utilizar este ácido a nivel tópico y con frecuencia se incorpora a las cremas cosméticas o se ingiere en forma de pastilla.

★ **Vitamina A** Es un producto que suaviza la piel y la mejora y que se utiliza a nivel tópico en forma de crema, loción o en líquido. Los retinoides, derivados de la vitamina A, tienen resultados comunes. El palmitato de retinoilo es el principal componente de la vitamina A que se encuentra en la piel y es el elemento irritante de la piel menos conocido de la familia de la vitamina A. Proporciona a la piel una apariencia más suave y homogénea, reduciendo los signos del envejecimiento, suavizando las arrugas y revitalizando la piel. Se pueden comprar tratamientos antienvejecimiento de vitamina A sin receta médica y ofrecen un muy necesitado impulso de las cantidades que existen de forma natural en el cuerpo y que decrecen a medida que envejecemos.

★ **Ácido ascórbico** También conocido como vitamina C. Por desgracia para nuestra piel, la vitamina C se degenera rápidamente al entrar en contacto con el oxígeno, por lo que los cosméticos que llevan vitamina C tienden a ser muy caros debido a los productos estabilizadores que se necesitan para impedir que desaparezca la vitamina. El ácido ascórbico y otros derivados de la vitamina C son buenos contra el envejecimiento porque tienen una acción exfoliante además de favorecer la síntesis de colágeno y mantiene una buena flexibilidad de la piel.

Más vale prevenir que curar, por lo que ahora se dispone de muchos tratamientos, desde ejercicios faciales hasta programas faciales con múltiples pasos. Además, también puedes preparar en tu propia casa tratamientos faciales para ayudar a combatir el envejecimiento, y utilizar sencillas combinaciones de vitaminas A, C y E en una máscara facial que realmente refrescarán tu piel. Experimenta con distintas combinaciones y texturas antes de comprar alternativas caras y, si puedes, consulta al dermatólogo qué es lo mejor para tí.

Expectativas de la piel

El envejecimiento de la piel empieza alrededor de los veintiún años, porque el proceso de reproducción de las células de la piel se ralentiza. Así pues, ¿qué debes esperar? ¿Qué es lo natural y nos ocurre a todas? Aunque genéticamente tendrás la misma piel que tus padres, es posible aparentar ser más joven a medida que va pasando el tiempo, especialmente asegurándote de utilizar la protección solar adecuada y limpiar e hidratar la piel con regularidad.

15

ADOLESCENTES

Con menos de veinte años pero durante la pubertad la piel se está ajustando continuamente a los brotes de hormonas que nos ayudan a desarrollarnos y convertirnos en jóvenes adultos. Los cambios de la piel son diversos pero, con frecuencia, una mayor producción de grasa hace que la piel tenga granos y brille. La piel se encuentra aquí en su punto álgido y todo lo que hay en ella funciona bien y al máximo. Aunque puede ser una época difícil, especialmente si padece acné, trátala bien. Es importante proteger la piel de un exceso de exposición al sol e intenta no reventarte las espinillas, puesto que esto promueve que se propaguen las bacterias por toda la piel provocando más espinillas y, en ocasiones, cicatrices permanentes.

Los productos del árbol del té ofrecen una buena solución, ya que son tratamientos de los granos pero también ¡dan una sensación de frescor y huelen bien! Hay que limpiar primero todos los tipos de piel, y después hidratarlas con un factor de protección solar mínimo de quince. Si estás al sol, no te untes la piel con aceite para bebés para ponerte morena más deprisa: el daño que le hagas ahora a la dermis permanecerá para siempre y ¡envejecerás mucho más deprisa!

20

VEINTEAÑERAS

Su piel sigue siendo "joven" en esta etapa, pero ya ha empezado a envejecer y pueden empezar a aparecer finas líneas de expresión entre mediados y finales de los veinte debido a que se empiezan a reducir las pequeñas cantidades de colágeno en la piel. También se puede producir una ligera pigmentación de la piel debido a los daños provocados por el sol, y a la utilización de productos abrasivos, como alcoholes, perfumes, conservantes y colorantes que pueden provocar sensibilidad de la piel en esta etapa de nuestras vidas.

Un tratamiento facial regular consigue maravillas, ya que refuerza los mecanismos de la piel al tiempo que promueve la reproducción celular. La zona de los ojos requiere atención adicional en forma de un gel o una crema suave que ayuda a nutrir y prevenir la profundización de las líneas. Siempre debes limpiar, tonificar e hidratar con una crema de factor de protección solar de quince, por la mañana y por la noche, especialmente cuando lleves maquillaje, y asegúrate de tratar el cuello en tu tratamiento diario. También debes cuidar de las manos a diario con una crema enriquecida para manos y evitar los productos químicos abrasivos en la piel ya que, cuando la piel se ha sensibilizado, puede mantener esa sensibilidad para siempre.

30

LOS TREINTA

La mayor parte del posible daño de la piel ya se ha producido llegada esta etapa, pero no se mostrará hasta más tarde, por lo que debes tratar bien tu piel ahora para reducir la aparición de los daños más adelante. Es posible que empiecen a aparecer manchas con la edad, junto con algunos cambios de pigmentación por el sol. Sin embargo, lo normal es que la piel siga perdiendo colágeno y elastina, lo que le da una falta de firmeza y aumenta el riesgo de flacidez muscular y sequedad.

Los adultos en los treinta pueden seguir padeciendo una piel grasienta, pero no es frecuente ya que las hormonas responsables se han estabilizado. Se ha demostrado que el estrés y el embarazo pueden provocar una crisis. Las líneas y arrugas parecen mucho más profundas ahora, y es frecuente la deshidratación de la piel.

Los tratamientos faciales regulares con profesionales o en casa ayudarán a estimular las células de la piel, y los ingredientes de uso tópico, como los extractos naturales que se encuentran en las cremas hidratantes, pueden ayudar a prevenir un mayor daño provocado por el sol y los radicales libres.

40

LOS CUARENTA

Durante esta época la piel tiende a mostrar rápidamente señales de envejecimiento si no se cuida bien de ella. La protección solar es absolutamente imprescindible ahora para evitar que los lunares y las manchas se transformen en lesiones cancerosas. Se reduce drásticamente la producción de sebo, lo que provoca la profundización de líneas y arrugas. La sequedad, los poros de mayor tamaño y la mayor decoloración bajo los ojos, así como un incremento de capilares rotos, empiezan a mostrar su horrible faz.

Se puede utilizar todo el espectro de cosméticos, como cremas para ojos y mascarillas, así como una buena exfoliación semanal para eliminar las células muertas que dan a la piel una apariencia flácida o débil. Ésta es la edad a la que se realizan más tratamientos quirúrgicos o de exfoliación química, ya que la piel empieza a mostrar realmente señales de envejecimiento. Pero el cuidar tu piel lo mejor que puedas y el aprender a aceptar el inevitable proceso de envejecimiento te ayudarán a sentirte más feliz y cómoda.

50

LOS CINCUENTA

La piel es ahora muy distinta a la de tu juventud, con más líneas y arrugas, así como surcos más profundos en torno a la boca. La piel está flácida en algunos lugares, y la falta de tono muscular hace que parezca que la piel está flácida. La piel suele estar más seca a esta edad, pero con el principio de la menopausia y los consiguientes cambios hormonales puede aparecer en ocasiones un acné en la edad adulta idéntico al acné de la adolescencia, ya que la piel tiene demasiada grasa y salen espinillas. La piel puede perder homogeneidad por lo que, además de una buena rutina facial regular y los tratamientos del especialista, debes exfoliar con regularidad para ayudar a regular la textura superficial. Cabe esperar que aparezcan capilares rotos y granos por la edad, por lo que debes asegurarte de protegerte del sol, como siempre, para impedir un mayor daño a la dermis.

Las cremas y lociones antienvejecimiento se utilizan fundamentalmente en esta etapa de la vida, pero una dieta sana y el ejercicio regular son esenciales para mantener la piel sana y con apariencia juvenil.

Por encima de todo, el cuidado de la piel debe ser algo divertido, y no una obsesión. Recuerda que el estrés es un importante factor de envejecimiento, por lo que mantenerse a la sombra, sana por dentro y fuera, y sin estrés, ¡siempre es el mejor camino hacia adelante!

¡Maquillaje antienvejecimiento!

Es fácil y realmente eficaz disfrazar los cambios de la piel. ¡Por cada cambio de la piel que infringe el envejecimiento hay una solución de maquillaje para combatirlo!

Piel seca Utiliza una buena crema hidratante como primera capa bajo el maquillaje para dejar mate la piel y eliminar cualquier rastro de manchas de sequedad al tiempo que evitas que el maquillaje se adentre en las irregularidades de una piel flácida. Aplica a continuación una base de maquillaje con un leve tinte para dar una somera cobertura y una apariencia que refleje la luz.

Líneas y arrugas Utiliza productos que no se acumulen en los surcos de los ojos. Lo mejor son las sombras de ojos ligeras basadas en polvos. Evita los brillos y nacarados *(shimmer)* pues exageran los efectos del envejecimiento. El colorete en crema es estupendo para las mejillas. Al utilizar prebases para la cara, los ojos y los labios se consigue evitar que el maquillaje se esparza, por lo que debes aplicarlos antes del fondo de maquillaje.

Piel fina Este tipo de piel puede parecer radiante pero, si no te gusta el efecto, pon un poco más de fondo de maquillaje y aplica sombras naturales rosadas o tostadas para dar un toque de brillo a una piel posiblemente pálida.

Piel flácida Una buena idea consiste en perfilar el contorno de la cara para sombrear y destacar algunas zonas, y la utilización de fondos de maquillaje que reflejan la luz detrae la atención de la piel flácida. Los colores brillantes y luminosos son excelentes en los ojos y los labios, pero opta siempre por los colores naturales para dar colorete.

¡Golpes de calor! En momentos de extremo calor recuerda que debes secar el sudor con golpecitos suaves, y no restregando, y debes intentar utilizar una base con una cobertura bastante ligera, para que los poros no se vean durante el día. Intenta unos polvos o un colorete color melocotón más que tonos rojizos, ya que la piel mostrará estos tonos por sí sola.

Ojos caídos Utiliza una sombra de ojos luminosa por todo el párpado para abrir la zona del ojo y opta por colores naturales. ¡Evita a toda costa los brillos y nacarados! Nunca utilices un delineador de ojos líquido, ya que tiende a crear pegotes en el párpado; opta por un lápiz de ojos grisáceo. Riza las pestañas y aplica a continuación una máscara de un tono más luminoso ya que da una apariencia menos dura.

Labios deteriorados Utiliza una prebase para evitar que se corra el lápiz de labios y elige un lápiz de color mate en tu tonalidad preferida. Añade brillo si quieres, pero los labios húmedos pueden dar una apariencia extraña en labios envejecidos, por lo que un nacarado resultará más atractivo.

cómo...

REVIERTE EL PASO DEL TIEMPO CON MAQUILLAJE

Aunque la piel tiene que superar muchos retos con la edad, no hay duda de que podemos dar la sensación de que revertimos el paso del tiempo con el maquillaje. Las sombras y los nacarados ligeros y sutiles crean una resplandeciente juventud natural que complementa a cualquier edad y a cualquier tipo de piel.

① Aplica un fondo de maquillaje ligero con propiedades reflectoras de la luz de forma que nunca dé la sensación de empolvado. Disimula las zonas deterioradas, pero evita poner en la zona inferior de los ojos una base fuerte de ceras ya que puede introducirse en las finas líneas en torno a los ojos y atraer así una atención indeseada. Elige por el contrario un corrector líquido.

② Utilizando una sombra de ojos de color crema champán lograrás agrandar los ojos y destacar la parte inferior de la ceja para lograr una mayor definición. La depilación de los pelos de la parte inferior de las cejas elevará el arco y resaltará los ojos.

③ Riza las pestañas y aplica una máscara gris o marrón para completar la apariencia natural. El lápiz de ojos ofrece una excelente apariencia para definir las esquinas de los ojos y ensancharlos. Aplica un tono rosa o melocotón a los pómulos y difumínalo para dar una apariencia natural. Una base de labios y un delineador proporcionan la mejor base para el lápiz de labios. Aplica un color mate a los ojos añadiendo nácar puro al centro de los labios para un maquillaje de noche.

03 | la base perfecta

la base perfecta

Siendo el órgano más largo de nuestro cuerpo, la piel pesa unos tres kilogramos y desempeña un importante papel para mantener nuestra buena salud, proteger las zonas delicadas de nuestro cuerpo y ayudarnos a deshacernos de las toxinas y las bacterias. Independientemente de cuál sea la apariencia de tu piel, siempre puedes mejorarla.

A diferencia de cualquier otro órgano del cuerpo, la piel envejece literalmente ante nuestros propios ojos, y la mujer de hoy en día está sometida a presiones para parecer juvenil, depilada, empolvada y perfecta de día y de noche. Pero, salvo que haya nacido con una genética de una piel preciosa heredada de sus padres, puede resultar una tarea difícil, sobre todo porque todo lo que vemos en el espejo ya está compuesto de ¡células muertas! Por ello, mi consejo es que hagas lo que puedas con la piel que tienes y ¡seas realista!

La industria de la belleza factura miles de millones todos los años y todas estamos desesperadas por acercarnos al ideal. Pero lo primero es sentirse cómoda con la piel que tiene cada una. Hay pequeños pasos que promueven un brillo saludable y permiten a la piel dar la apariencia radiante de frescor de forma natural.

El maquillaje se inventó para encubrir los rasgos que no nos gustan y resaltar aquellos que sí. Al mejorar la piel como base mejorará inevitablemente el resultado final de tu habilidad maquilladora.

La cara es la parte del cuerpo que más atracción logra gracias a los cosméticos. Es la parte del cuerpo que todo el mundo ve de inmediato, y a la que se habla; muestra las emociones y puede ser muy fácil de interpretar. Suele ser la única parte del cuerpo a la que se aplica maquillaje, y la parte más expresiva. Nos permite mostrar pasión, furia, odio y alegría. Por tanto, el maquillaje debería complementar nuestras expresiones, y no ocultarlas.

Primer plano de la piel y características

La piel está compuesta de tres capas, siendo la primera la epidermis superficial, que tiene el grosor del papel y contiene fundamentalmente células de la piel muertas o que se están muriendo. La siguiente capa se denomina dermis y es aproximadamente quince veces más gruesa, y contiene colágeno, elastina y un flujo sanguíneo para alimentar y nutrir la piel. Finalmente, la hipodermis es una capa de grasa aislante que nos protege y mantiene calientes.

> **"** La **piel** refleja todas las **emociones** que hemos tenido en sus líneas, arrugas y textura; la belleza puede ser **superficial** pero la piel nos delata, mostrando a todos los que se han adentrado en la **historia** de nuestra vida **"**

CORTE DE LA PIEL

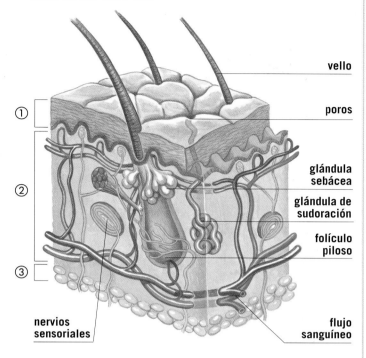

vello

poros

glándula
sebácea

glándula de
sudoración

folículo
piloso

nervios
sensoriales

flujo
sanguíneo

① ②③

▲ ① *epidermis (la auténtica superficie de la piel)*
② *dermis (la auténtica piel)*
③ *hipodermis (capa de grasa)*

Identificación de la piel

El identificar las necesidades de tu piel ayuda a decidir qué productos utilizar y qué cantidades la ayudan a alcanzar su mayor potencial de resplandor. Muchas cometen el error de identificar erróneamente el tipo de piel y, por tanto, el tratamiento que requiere. El mejor momento para identificar qué tipo de piel tienes es por la mañana, cuando las zonas de sebo se rellenan de este aceite natural proveniente de las glándulas sebáceas de la piel. El sebo es estupendo para proteger la piel de las bacterias y elementos contaminantes, así como para hacerla suave y flexible. Sin embargo, un exceso de sebo puede provocar asfixia en la piel y esa apariencia grasienta que tan desesperadamente intentamos eliminar.

La mayoría tenemos una piel mixta, ya que muy poca gente tiene exactamente la misma textura, apariencia y sensación de la piel en todas las partes de la cara. Si eres una de las pocas afortunadas, esto es lo que se describe como "piel normal": ¡prefiero llamarla piel milagrosa! Trata primero las áreas problemáticas de tu piel, ya que esto equilibrará y fusionará las manchas y dará una apariencia homogénea a su complexión.

Identificación de una piel seca

Se suele encontrar una piel seca en las pieles más mayores o envejecidas, ya que a lo largo de los años se reduce tremendamente la producción de sebo, lo que deja abierta la piel a los ataques de la contaminación y la luz ultravioleta. Este tipo de piel tiene la menor cantidad de sebo en su superficie.

IMPULSORES EXTERNOS

Puesto que la piel seca carece de grasa, es esencial eliminar la sequedad superficial utilizando un exfoliante suave y después nutriendo profundamente la piel hidratándola regularmente para promover la nutrición de la superficie, aumentando así la flexibilidad de la piel y suavizando esa sensación de estiramiento. Es esencial utilizar protección solar en este tipo de piel, ya que es más susceptible a los daños provocados por la luz ultravioleta en comparación con otros tipos de piel.

★ Lo mejor son las cremas hidratantes con base de aceite.
★ Las aguas florales naturales sin alcohol son excelentes tonificantes.
★ Hay que utilizar dos veces al día una crema hidratante enriquecida y dos veces por semana exfoliante de grano fino.
★ Para la rehidratación lo mejor son las cremas o mascarillas que no se secan.

trucos del profesional

PARA LA PIEL SECA

- Nunca utilices productos con alcohol en una piel seca ya que pueden hacerla más sensible ¡y secarla aún más!

- Utiliza productos con base de aceite, pero no apliques demasiado de una sola vez; la piel sedienta prefiere una hidratación paulatina, por lo que debes aplicar la crema hidratante en pocas cantidades pero con frecuencia para rehidratar la superficie de la piel.

- La piel seca absorberá cualquier humedad que se ponga sobre ella, por lo que una buena prebase o base hidratante proporcionará hidratación y una capa protectora al maquillaje, ¡evitando así que se note el fondo de maquillaje!

- Los productos antienvejecimiento pueden resultar útiles, pero no esperes milagros; utiliza productos que te gusten y que puedas permitirte, de lo contrario tu rutina diaria resultará estresante y desagradable.

- Utiliza una crema de noche rica, ya que éste es el momento en que el cuerpo descansa y se recupera.

VENTAJAS DE LA SEQUEDAD

◆ Normalmente resulta difícil ver los poros, ya que son pequeños y están cerrados, ¡lo que da una apariencia estupenda!

◆ La falta de sebo hace que sea fácil aplicar el maquillaje en este tipo de piel y permanezca todo el día y bien entrada la noche.

◆ La ausencia de manchas grasientas implica que no aparecen granos o espinillas.

DESASTRES DE LA SEQUEDAD

◆ La piel puede tener una apariencia y una sensación de dureza y sequedad, con una evidente falta de grasa.

◆ Puede parecer escamosa y dar una sensación de tirantez, y es proclive a las finas líneas y arrugas.

◆ A veces pueden aparecer pequeñas imperfecciones denominadas "miliums" en torno a los ojos, indicando sequedad. Son como puntos blancos duros muy pequeños, que son difíciles de quitar y, con frecuencia, deben ser tratados profesionalmente con un bisturí.

▲ *Elimina las escamas de la piel con un exfoliante de grano fino.*

Identificación de la piel deshidratada

La mayoría tenemos una piel deshidratada provocada por una falta de agua, tanto interna como externa. Este hecho queda agravado por los efectos de la vida urbana, la contaminación, el tomar el sol y nuestra pasión por las bebidas gaseosas, el café y los alimentos envasados que deshidratan nuestro cuerpo. Se puede identificar este tipo de piel apretándola suavemente para ver pequeñas líneas plateadas en la superficie. Aparecen manchas en las zonas más finas de la piel, como la frente, el cuello y el contorno de los ojos.

ESTIMULANTES EXTERNOS

Esta piel necesita agua, y no grasa, por lo que los productos de limpieza y las cremas hidratantes deben tener una base de agua. El exceso de grasa se quedará simplemente sobre la superficie de la piel por lo que, al elegir las bases del maquillaje, opta por hidratar en vez de humedecer. La piel deshidratada puede ser muy delicada y ligeramente más fina que la piel seca, por lo que, al exfoliar, utiliza una crema líquida AHA (ácido alfa hidróxido) para lograr un resultado eficaz pero más delicado. Los productos en gel funcionan bien en este tipo de piel, ya que tienen gran cantidad de agua, y las lociones de protección solar son mejores que las cremas o barras.

★ Las lociones limpiadoras con base de agua se quitan mejor con algodón.

★ Las aguas cítricas son grandes tonificantes naturales.

★ Utilizar una loción o un gel ligero hidratante dos veces al día.

★ Utilizar una vez a la semana una brocha facial o un exfoliante líquido AHA.

★ Un gel o crema dos veces por semana rehidrata la piel.

trucos del profesional

PARA LA PIEL DESHIDRATADA

• Los productos de fondo de maquillaje con base de agua tienden a secarse fácilmente, por lo que hay que utilizar un poco más para crear la misma apariencia que con una base en crema o en loción.

• La piel deshidratada puede arrugarse fácilmente, por lo que debe asegurarse de que la base de maquillaje tiene una cobertura media y una textura ligera para impedir la pérdida de humedad cuando la piel absorba el agua del producto.

• La mejor forma de alimentar esta piel con deficiencia de agua consiste en pulverizar agua regularmente.

VENTAJAS DE LA DESHIDRATACIÓN

◆ La piel sedienta no suele tener una apariencia grasienta lo que ayuda a aplicar el maquillaje, ya que la superficie es homogénea.

◆ La piel deshidratada no suele ser escamosa ni estar tensa, por lo que es una piel cómoda.

DESASTRES DE LA DESHIDRATACIÓN

◆ La piel deshidratada requiere una atención continua, por lo que es necesario nutrirla regularmente, tanto interna como externamente.

◆ Se suele fallar en la identificación de una piel deshidratada, por lo que siempre debe tratar la deshidratación de la piel, además de darla su tipo de tratamiento correspondiente.

◆ Las líneas finas y las arrugas dan un aspecto envejecido de forma prematura, por lo que debes aplicar protección solar todos los días.

▲ *La piel sedienta absorbe el agua más deprisa, por lo que debes rehumedecerla con regularidad a lo largo del día con productos con base de agua.*

Identificación de la piel grasienta

Especialmente frecuente en los jóvenes adultos, la piel grasienta se caracteriza por una complexión con exceso de brillo, sonrojamiento y una serie de imperfecciones, fundamentalmente comedones (barrilos), pústulas (espinillas) y pápulas (puntos rojos inflamados). El exceso de sebo se encuentra fundamentalmente en la nariz, la barbilla y la frente (la zona T); sin embargo, la piel muy grasienta puede tener una hipersecreción de grasa por toda la cara y el cuello. En algunos casos, los adultos más jóvenes padecen acné, pero suele remitir a principios de los treinta como muy tarde.

IMPULSORES EXTERNOS

No debe intentar secar nunca la piel grasienta con productos químicos abrasivos y alcohol, ya que sólo conseguirá que produzca más grasa para devolver la piel a su estado "normal". Limpie bien este tipo de piel, e incluya en su rutina diaria la tonificación y la humidificación así como una hidratación equilibrante con base de agua para mantener la piel suave y eliminar el exceso de grasa y brillo. El maquillaje con base de agua durará más que la variedad con base de aceite que se resbalará fácilmente. Sin embargo, no te sientas tentada a pensar que las bases de polvo son mejores, ya que pueden atraer las manchas grasientas de la cara y concentrarse en estas áreas, dejando una superficie desigual y con parches.

★ Eliminar con algodón las lociones limpiadoras con base de agua.

★ Tonifica con un pulverizador natural de lavanda o de cítricos.

★ Aplica a diario un gel o loción hidratante ligera con tratamiento contra las manchas y granos.

★ Exfolia utilizando una brocha facial o una mascarilla absorbente dos veces por semana. Las mascarillas fijadoras de potencia media con base de arcilla, utilizadas dos veces por semana, limpian profundamente y aclaran los poros.

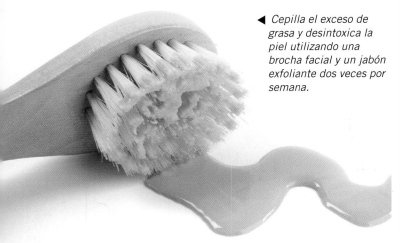

◀ *Cepilla el exceso de grasa y desintoxica la piel utilizando una brocha facial y un jabón exfoliante dos veces por semana.*

VENTAJAS DE LA PIEL GRASIENTA

◆ Suele encontrarse fundamentalmente en la piel joven que suele mantenerse juvenil y flexible durante más tiempo.

◆ La piel grasienta tarda mucho más en mostrar señales de envejecimiento y desarrollará menos líneas y arrugas.

◆ La piel grasienta permanece flexible durante más tiempo y tiene más elasticidad, lo que significa que habrá menos bolsas y partes flácidas en este tipo de piel.

DESASTRES DE LA PIEL GRASIENTA

◆ Puede ser muy difícil conseguir un maquillaje homogéneo en las partes grasientas, por lo que es esencial utilizar un fondo de maquillaje con base de agua combinada con polvos translúcidos.

◆ La piel grasienta tiende a tener poros abiertos y destacados que también pueden plantear un obstáculo al maquillaje.

◆ La piel grasienta suele venir acompañada de granos y espinillas, lo que da a la piel una textura desigual.

trucos del profesional

PARA LA PIEL GRASIENTA

• Evita limpiar una piel grasienta con un jabón exfoliante para la cara, ya que a menudo la superficie grasienta de la piel no se limpiará correctamente porque la grasa sebácea y el agua no se funden entre sí. Utiliza una loción limpiadora y después tonifica para lograr una sensación de frescura.

• Si se ve la grasa a través del maquillaje, seca simplemente dando pequeños golpecitos con una toallita de papel para quitar la humedad de la piel y mantener el maquillaje, puesto que éste es una sustancia más pesada.

• Aplica crema hidratante por toda la cara, y no sólo en las zonas grasientas, para lograr un lienzo perfecto para el maquillaje. Las bases de hidratación mates son estupendas para este tipo de piel.

• Evita los productos faciales que dan brillo, ya que la piel grasienta ya tiene un brillo natural, por lo que no debe duplicar el efecto.

Identificación de una piel madura

La piel empieza a envejecer rápidamente a partir de los veintiún años, por lo que ¡no tenemos mucho tiempo para mostrarnos jóvenes! Sin embargo, podemos prolongar la apariencia juvenil de nuestra piel cuidando de ella. La piel madura tiende a secarse y a mostrar señales de los daños provocados por el sol, como irregularidades de la pigmentación, lunares y otras imperfecciones análogas. También se identifica por tener líneas y estar casi siempre deshidratada. La pérdida de elasticidad aumenta las partes flácidas y las bolsas, y una menor inmunidad de la piel puede reducir la protección que proporciona la piel contra las bacterias y otras sustancias que pueden causar reacciones alérgicas. Esto, a su vez, incrementa la sensibilidad de la piel y la necesidad de una mayor protección de hidratación a lo largo del día.

IMPULSORES EXTERNOS

En función de la salud interna y de las hormonas, así como del entorno y la época del año, la piel madura suele estar ligeramente seca o deshidratada. Trátela con la mayor humedad que pueda aplicar y protéjala siempre con un filtro solar. Esta piel ya ha sufrido daños a lo largo de los años, por lo que debe ser súper vigilante y tratarla con cuidado: los productos químicos abrasivos y los perfumes secarán la superficie y le darán una apariencia desabrida, por lo que espolvorearla con agua regularmente mejorará drásticamente la apariencia de este tipo de piel a lo largo del día.

★ Las cremas limpiadoras enriquecidas son las mejores.
★ Los tónicos aromaterapéuticos naturales son estupendos para la piel madura.
★ La nutrición regular y rica con una loción o gel hidratante y protección solar máxima son esenciales.
★ Es mejor exfoliar con un grano fino o un producto AHA suave una vez por semana.
★ Las mascarillas hidratantes cremosas ayudan a mantener la humedad.

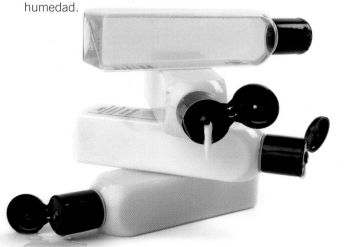

VENTAJES DEL ENVEJECIMIENTO

◆ El adelgazamiento de la piel puede dar la ilusión de una complexión clara, lo que ayuda a aplicar el maquillaje.

◆ Si tiene buenos cromosomas siempre tendrá una buena piel a lo largo de toda su vida.

DESASTRES DE LA PIEL MADURA

◆ Las finas líneas y las arrugas pueden provocar problemas de aplicación del maquillaje cuando los productos quedan incrustados entre las arrugas de expresión. Utilice productos con base en crema para reducir el efecto de las líneas y las arrugas.

◆ A lo largo de los años de exposición al sol pueden ir apareciendo numerosas marcas de pigmentación. Utilice siempre una protección solar máxima para evitar mayores daños del sol, y algo más de corrector ayudará a disimular las imperfecciones existentes.

trucos del profesional

PARA LA PIEL MADURA

• Algunas cremas pueden resultar demasiado pesadas para la piel madura; puedes probar con aplicaciones de gel en torno a los ojos y los labios para maximizar la absorción.

• Los productos antienvejecimiento pueden ser muy caros, y prometen la luna. Ten en cuenta que la piel es una excelente barrera a las sustancias externas. Si el producto tiene una base de aceite ¡tendrá muchos problemas de absorción! Incluso los productos con una base de agua contienen moléculas demasiado grandes para penetrar en las capas más profundas de la piel.

• Intenta utilizar productos naturales basados en la aromaterapia, como aceites esenciales que tienen una estructura molecular muy parecida a la de las hormonas humanas y son suficientemente pequeños como para penetrar la piel y reequilibrarla de adentro afuera.

Identificación de la piel sensible

La piel sensible es infrecuente, pero cada vez hay más. Tiene una apariencia rojiza, inflamada, con manchas y caliente. Mucha gente cree que tiene una piel sensible pero, sin embargo, suele ser más bien una piel "sensibilizada" porque sólo lo es a los productos que se utilizan, que no son adecuados. Apenas se puede tocar la piel realmente sensible sin crear una reacción. El color rojizo por sí solo no es un indicio de sensibilidad, sino de piel más fina o ligeramente vascularizada. Suele ser difícil de mantener y tratar este tipo de piel. Sin embargo, puede conservar un vigor y una apariencia juvenil de los que carecen otros tipos de pieles.

IMPULSORES EXTERNOS

La piel sensible suele estar caliente y sonrojada, por lo que será agradable enfriarla. Utiliza un limpiador suave con base de agua. Un tonificor refrescante, sin alcohol, color o perfume la rehidratará sin provocar irritación. Humidifícala bien y aplica siempre la máxima protección solar para evitar mayores daños y sensibilización por el sol.

- ★ Una crema limpiadora suave calmará la piel.
- ★ Espolvorea con agua de lavanda o pepino.
- ★ Es esencial una loción o gel ligero con SPF 25.
- ★ Utiliza con muy poca frecuencia un exfoliante ligero de grano grande o un cepillo facial.
- ★ Aplica dos veces por semana una mascarilla en gel cremoso o refrescante que no se seque.
- ★ Refresca regularmente la piel con geles para ojos y piel para liberar el calor y reducir el enrojecimiento.

trucos del profesional

PARA LA PIEL SENSIBLE

- No trates en exceso ni seas dura con este tipo de piel ya que sólo conseguirás que se rebele con una reacción que puede ser antiestética y que te obligará a relegar el cuidado de esta piel durante días.

- Proteger, proteger y proteger es el objetivo con la piel sensible. ¡Cuida de este tipo de piel y ella cuidará de usted!

- Prueba siempre los productos de cuidado de la piel y de maquillaje antes de comprarlos o, de lo contrario, puedes terminar con toda una serie de productos inutilizables. Elige bien y siéntete cómoda con ellos.

VENTAJAS DE LA PIEL SENSIBLE

- ◆ Aunque es difícil tratarlas, las pieles sensibles suelen estar muy vascularizadas, lo que da un tono rojizo natural. Mucha gente envidia este tipo de brillo del color de la piel, ya que puede dar una apariencia muy juvenil.

- ◆ Normalmente más fina, este tipo de piel también da una apariencia sana y con buena textura. Utiliza siempre una buena base de maquillaje.

DESASTRES DE LA PIEL SENSIBLE

- ◆ La piel sensible puede constituir un reto para el tratamiento, ya que reacciona ante los cosméticos y los productos de limpieza, por lo que puede resultar difícil encontrar productos adecuados para este tipo de piel. Pero cada vez hay más productos que no tienen alcohol, perfumes ni colorantes o conservantes artificiales y, con frecuencia, son más adecuados.

- ◆ Esta piel es sensible al sol y puede reaccionar mal, por lo que debes asegurare de aplicar una protección solar máxima a diario para protegerla de los rayos ultravioleta.

Estimulantes internos

Sí, la piel necesita agua y nutrientes para tener una apariencia sana y fresca, pero eso no es nada nuevo, hace siglos que lo sabemos y seguimos ¡desesperadas por encontrar soluciones! Puesto que la piel es un órgano como cualquier otro, también necesita desesperadamente descanso, recuperación y una oportunidad para luchar contra las bacterias y toxinas que la atacan a diario.

"DORMIR", EL SEDANTE DE LA PIEL

Por la noche nuestras células de la piel la reparan y curan las imperfecciones que se pueden haber producido a lo largo del día. La energía que utilizamos durante el día para movernos se redirige a los órganos internos, de forma que la piel se activa por la noche, rejuveneciendo y recuperándose para el día siguiente. El tratar la piel con cremas hidratantes nutritivas todas las noches puede ayudar a impedir la sequedad en la superficie y preservar la humedad vital. Enseguida podremos averiguar si no estamos durmiendo lo suficiente porque el sistema linfático de la piel mostrará enseguida señales reveladoras de negligencia, como ojeras y bolsas bajo los ojos.

"LA VIDA", EL FACTOR ESTRESANTE DE LA PIEL

¡Si quieres lograr una piel perfecta no vivas con excesos! El estrés, el alcohol, el café, el té, el aire acondicionado, la contaminación, el azúcar, el tabaco y otros muchos factores que nos rodean atacan a nuestra piel a cada minuto. ¡El truco consiste en proteger la piel, más que en intentar tratarla! Una buena crema hidratante lo consigue hasta que se elimina al final del día, por lo que debes invertir y recoger la recompensa del defensor último de la piel: ¡la crema hidratante!

"LA DIETA", EL PLACER DE LA PIEL

Aunque científicamente hay poca relación entre la comida que comemos y la apariencia de nuestra piel, es muy posible que una persona sana padezca menos problemas en la cara. Recomiendo sencillamente que se fomenten las defensas con alimentos que aumenten los antioxidantes, como las frutas y verduras ricas en vitaminas y minerales, así como el pescado rico en aceites y el agua pura. Puede que marquen una diferencia en la piel o no, pero estos ácidos grasos esenciales y las ricas vitaminas A, C y E garantizarán que, aunque el exterior no resplandezca, ¡sí resplandecerá el interior!

EL RELOJ CORPORAL

Las hormonas, las enzimas y las células corporales tienen una gran voz en la conversación de la piel. Pueden tener un drástico efecto en lo que vemos cuando nos miramos en el espejo, y el reconocer este hecho puede ayudarnos a ser más magnánimas con nosotras mismas. El nivel hormonal puede fluctuar drásticamente a lo largo del día, lo que puede provocar

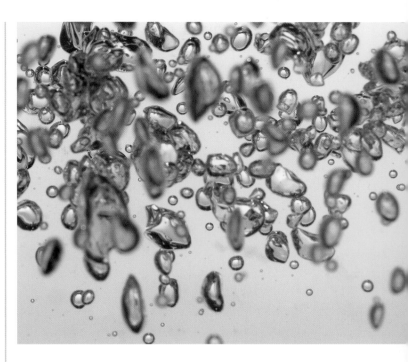

enrojecimiento, manchas y cambios de la textura de la piel. El estrés, el embarazo e incluso la menstruación cambian el equilibrio de nuestras hormonas, y los hombres también padecen cambios de los niveles de testosterona y andrógenos que tienen efectos sobre su piel.

Es evidente que lo ideal es no padecer estrés alguno, pero no es muy realista. Una cosa que podemos hacer para ayudar a nuestros niveles hormonales y a nuestra piel es dar unas cuantas respiraciones profundas siempre que podamos. Este incremento súbito de oxígeno impulsará la capacidad de trabajo de las células del cuerpo y el incremento de oxígeno en el cerebro ayudará a desencadenar las respuestas a la menor presión arterial y al menor ritmo cardiaco, incorporando una fuerte corriente de oxígeno en la piel y reduciendo los niveles de adrenalina en la sangre para ralentizar la respuesta de estrés.

¡Un camino divertido a una piel maravillosa!

Las endorfinas son los elementos corporales que promueven que nos sintamos bien. Se liberan cuando somos felices, al hacer ejercicio y cuando comemos lo que más nos gusta. Se utilizan estimulantes como la cafeína, las bebidas gaseosas y el chocolate para aumentar los niveles de endorfinas y sentirse bien, pero está demostrado que lo mejor es reír. Recordar un momento feliz o divertido puede liberar estas hormonas de la felicidad que, a su vez, equilibran los niveles de estrés mucho más deprisa que ninguna otra cosa. ¡Pruébalo y comprueba si estos pensamientos felices marcan alguna diferencia en tus niveles de estrés!

Limpieza

La limpieza de la piel es esencial para mantener una complexión sana y para que tu piel tenga más posibilidades de rejuvenecer por la noche ¡debes quitarte el maquillaje antes de ir a la cama! (Si no puedes, pídele a alguien que te lo quite, ¡es importante!) Algunas de las primeras modelos mundiales utilizan agua de manantial para lavarse la cara dos veces al día y algunas utilizan ¡cremas de limpieza especiales que cuestan miles de euros! Independientemente de lo que utilices, asegúrate de que es eficaz y de que elimina el maquillaje de la superficie y la suciedad diaria, además de las bacterias, el polvo, la contaminación y las células muertas que no puedes ver.

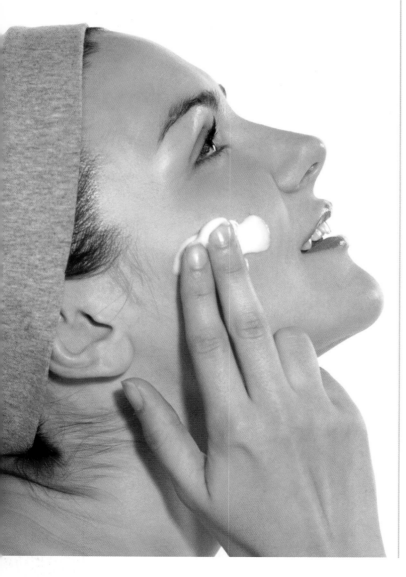

CREMAS LIMPIADORAS

Son los mejores productos de limpieza del mercado; se adhieren ferozmente al maquillaje, la máscara, la suciedad y los elementos contaminantes son suaves con la superficie de la piel. Pueden tener una base de aceite o de agua, para ajustarse a los distintos tipos de pieles pero, sin embargo, lo mejor son los limpiadores naturales, ya que no llevan perfume, colorantes o conservantes que son responsables del 46% de todas las reacciones alérgicas a los cosméticos. Siempre debe quitar el maquillaje con algodón y aplicar un tónico para evitar que se quede sobre la piel una barrera de grasa.

GELES LIMPIADORES Y DESMAQUILLANTES

Los desmaquillantes con base de agua no son los mejores para quitar el maquillaje y la suciedad, ya que las moléculas de grasa en el maquillaje no se pegan bien al agua. Sin embargo, los desmaquillantes pueden ser válidos si se lleva poco maquillaje, porque refrescan la piel y tonifican fisiológicamente. Las más jóvenes suelen utilizar un desmaquillante ya que es un sistema rápido y fácil que garantiza que, por lo menos, ¡se quitará el maquillaje!

bacterias. Junto con el sebo pegajoso, constituyen una barrera eficaz contra los perniciosos invasores de la piel, así como contra los elementos contaminantes y los radicales libres.

El jabón está compuesto de grasa animal o vegetal y de sosa cáustica, una potente sustancia alcalina. Al calentarse estos productos se someten a un proceso denominado saponificación, formando sales en la amalgama del jabón. Es evidente que esta mezcla de sal, grasa y alcalinos tiene un olor extremadamente desagradable, por lo que incluso los jabones sin olor tienen perfumes para disimular ese olor.

Son los álcalis del jabón los que lo convierten en un limpiador ineficaz porque reaccionan contra la suave acidez del manto ácido y lo destruyen, quitando a la piel su barrera protectora y dejándola abierta a las bacterias invasoras. Y eso, en sí, ¡no es la peor característica del jabón!

Puesto que el jabón es una sustancia soluble en el agua, sus ingredientes se pegan a la superficie de la piel, que es grasienta, sin limpiarla demasiado. Una vez aclarado con agua, el residuo del jabón permanece sobre la superficie de la piel, que es lo que da el efecto posterior de tirantez e incomodidad.

Así pues, el jabón no es un limpiador eficiente y tiene cierto efecto en el empeoramiento de algunos problemas de la piel, ¡además de no acabar con muchas bacterias!

PRODUCTOS DE DOBLE PROPÓSITO

Los limpiadores que se anuncian como "limpiador y tónico en uno" o las toallitas que tienen la misma función son de fácil y rápida utilización, pero si se fija bien descubrirá que tiene que utilizar varias para lograr el mismo efecto que con una crema limpiadora. También tienen un gran contenido de alcohol que es la razón por la que se secan tan deprisa cuando no están en el paquete. El alcohol reseca la piel y provoca sensibilidad. Las lociones que también afirman tener un efecto dual se convierten en agua en cuanto quedan expuestas al calor, por lo que ¡tenlo en cuenta cuando los llevas como parte de tu equipo de maquillaje!

¡El horror del jabón!

Como especialista del cuidado de la piel, conozco demasiado bien la inutilidad del jabón y sus amigos los jabones líquidos desmaquillantes. Sin embargo, puede que no sea consciente del auténtico horror que es el JABÓN…

La piel tiene una barrera natural llamada el "manto ácido", una fina capa de ácido que recubre la piel para proporcionar una superficie que sea inhabitable para la mayoría de las

Tonificación

Se puede decir que la tonificación es una fase importante de la limpieza de la piel. La mejor forma de decidir si necesitas un tónico consiste en utilizarlo y ver si lo echas de menos cuando no lo utilizas. El tonificador da la sensación psicológica de tener la piel limpia pero, ¿qué es lo que hace realmente en la piel? Bueno, la tonificación tiene varios objetivos a pesar de la oposición de algunos dermatólogos:

★ La tonificación garantiza que se elimina el exceso de limpiador y los contaminantes de la superficie, que suelen ser sustancias pesadas y grasientas que quedan sobre la piel tras la limpieza y pueden bloquear los poros y provocar granos y manchas.

★ Refresca la piel y la enfría, lo que ayuda a reducir el enrojecimiento y la sensibilización provocada por los productos limpiadores.

★ Puesto que la base de todos los tonificadores es el agua, hidrata la superficie de la piel y la da una apariencia sana e hidratada.

★ La tonificación proporciona una superficie limpia libre de grasas sobre la que aplicar crema hidratante, y no bloqueará la penetración de la humedad en la piel ya que no actúa como una barrera.

Hay muchos tipos de tónicos. Los mejores son los que están hechos de aguas naturales florales puesto que no suelen llevar perfumes, alcoholes ni conservantes abrasivos que pueden sensibilizar la piel cuando se utilizan con regularidad. También se pueden espolvorear sobre el maquillaje a lo largo del día si el spray es lo suficientemente fino como para que el agua se evapore sin dejar marcas permanentes sobre el maquillaje. La tonificación es opcional, pero da a la piel una sensación de limpieza fresca que no podría conseguir de otra manera.

Hidratación

Es esencial hidratar todos los tipos de piel por dos razones fundamentales:

★ Las cremas hidratantes bloquean la humedad natural, evitando que se seque y deshidrate la piel.

★ Proporcionan una barrera a los elementos contaminantes, la suciedad y las toxinas, que podrían dañar la piel o provocar imperfecciones.

La utilización de una crema hidratante con protección solar debería ser la norma habitual en la actualidad, pero asegúrate de utilizar una protección mínima de factor quince. Recuerda que la piel de la cara es la más delicada de todo el cuerpo, y que el sol es el mayor factor del envejecimiento, por lo que más vale prevenir que curar.

Las cremas hidratantes tienen unos precios que oscilan enormemente, desde unos pocos euros hasta ¡varios miles! Pero, siempre que el producto que utilice sea adecuado para tu tipo de piel, no tienes porqué arruinarte. Puedes ir a la moda comprando marcas de diseño, pero debes tener en cuenta las funciones básicas que buscas en una crema hidratante y la frecuencia con la que la vas a utilizar. Sea la que sea tu elección, debes poder permitirte comprarla de forma habitual.

La piel puede cambiar en las distintas estaciones del año, y los cambios meteorológicos garantizan que tu piel tendrá distintas necesidades en las distintas épocas del año, por lo que debes adaptar tu rutina de cuidado de la piel en función de las necesidades de la misma. Mucha gente utiliza una crema hidratante más potente en invierno y una más ligera en verano. Este cambio sólo puede ayudar a tu piel e introducir nuevos ingredientes que pueden beneficiarla en gran medida.

Siempre recomendaré hidratar la piel, aunque sea con un gel ligero, ya que proporciona una base excelente para el maquillaje y siempre hace que dé una sensación suave, lisa y sana. ¿Efecto psicológico? Tal vez, pero se trata de sentirse bien, ¡da igual cómo se consiga!

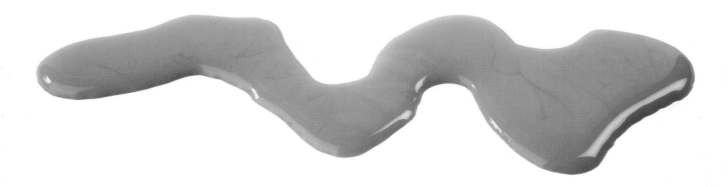

Exfoliar

La exfoliación es la mejor manera de lograr una complexión clara, puesto que es esencial para eliminar las células muertas de la piel que se pegan a la superficie. Con frecuencia, se pueden pegar a la piel la contaminación y los radicales libres, ya que son sustancias grasientas, y esto puede provocar una piel sucia y seca. Por tanto, la exfoliación debe formar parte de tu tratamiento semanal de cuidado de la piel. Permite que el maquillaje se asiente homogéneamente, especialmente en los recovecos como los de las fosas nasales, donde es difícil eliminar las sustancias indeseadas.

Este tipo de estimulación de la superficie de la piel también es excelente para incrementar el flujo sanguíneo y linfático de las células de la piel, permitiéndolas crecer, repararse y reproducirse más rápidamente, dando ese brillo fresco que todas anhelamos. La piel dañada por el sol suele tener una apariencia cetrina, y puede adquirir una apariencia "de cuero", haciéndonos parecer más viejas de lo que somos. La exfoliación manual iluminará la piel y quitará suavemente las células muertas indeseadas que dan esta apariencia cetrina a la piel.

La **piel grasienta** debería ser exfoliada dos veces por semana con un exfoliante de grano fino. Utiliza movimientos circulares en la cara para ayudar a quitar el exceso de grasa y reducir el riesgo de granos impulsando la inmunidad de la piel y ayudándola a luchar contra las bacterias.

Es mejor exfoliar la **piel seca** una vez a la semana, salvo que tenga serios problemas de formación de escamas, en cuyo caso deberías hacerlo dos veces por semana. Utiliza primero una brocha facial, y después o bien un producto AHA líquido o un exfoliante de grano fino para impulsar realmente la aportación de nutrientes a la piel. Esto dará un tono fresco a la piel con una apariencia y una sensación natural.

Es posible que solo haga falta exfoliar la **piel sensible** una vez cada quince días. El truco consiste en utilizar un producto que tenga el efecto deseado sin estimular en exceso la piel y aumentar su sensibilidad. Prueba con un preparado líquido o una mascarilla y refresca después con un gel hidratante.

La **piel madura** puede ser más seca, y el mayor número de líneas finas implica que lo mejor es ir con suavidad. Un exceso de estimulación puede agotar la piel, y la utilización regular puede contribuir a las señales de envejecimiento. Exfolia una vez por semana, y utiliza un exfoliante granulado suave; puesto que los gránulos son redondos, no hay riesgo de que haya puntas afiladas que puedan arañar la piel. Alternativamente, prueba con un exfoliante líquido que se pueda aclarar con agua.

▲ *Las partículas exfoliantes de grano fino son más delicadas con la piel que los exfoliantes de grandes partículas.*

La **piel dañada por el sol o espesa** se adecua mejor a una exfoliación semanal, pero para impulsar realmente la circulación, asegúrate de hacer un masaje facial primero y de exfoliar después, ya que así conseguirás los mejores resultados porque la piel habrá quedado suavizada y preparada.

Nunca utilice exfoliantes duros de grano de nuez ya que pueden contener partículas muy afiladas que pueden arañar innecesariamente la piel ¡sin exfoliarla realmente!

Mini spa para la piel

Con frecuencia, la gente intenta cubrir, sin éxito, las ojeras y las bolsas bajo los ojos utilizando únicamente maquillaje. Por el contrario, yo siempre me aseguro de que todas mis clientes tengan un mini spa linfático de la piel antes de aplicar el maquillaje para intentar reducir de forma natural las áreas problemáticas antes de camuflarlas con el maquillaje. Todo lo que se necesita es una rápida rutina ¡que marca la diferencia delante de la cámara!

El objetivo es estimular y nutrir los centros de la cara, mejorando temporalmente la circulación de la sangre y la linfa en la piel, lo que ayudará a eliminar toxinas y estimulará la inmunidad de la piel contra las bacterias. El masaje facial también iluminará la piel y relajará el contorno de los ojos para reducir las bolsas y secar las ojeras.

El sistema linfático es responsable de eliminar las toxinas y el exceso de agua del cuerpo. Cuando se estimula este sistema se da a la piel una apariencia más pálida.

El sistema circulatorio lleva la sangre por todo el cuerpo. La principal función de la sangre consiste en distribuir el agua y alimentar las células con los nutrientes y oxígeno necesarios para mantenerlas sanas y totalmente funcionales. Cuando se estimula la sangre en la piel, ésta adquiere un mayor color sonrosado, asegurando que las células de la piel reciben un impulso nutritivo.

Los huesos de la cara ayudan a definir sus rasgos. Por ejemplo, solemos hablar de unas mejillas y huesos maxilares prominentes como rasgos atractivos. El masaje en torno a los huesos sienta de maravilla porque los músculos unidos a ellos se relajan lentamente. Pero, recuerda, nunca des un masaje directamente sobre los huesos prominentes, pues puede ser extremadamente desagradable.

Estos detallados diagramas muestran dónde se encuentran las venas, los huesos y los nódulos linfáticos en la cara y en el cuello. El trabajar sobre las venas y los nódulos estimula las áreas adecuadas para desintoxicar y rejuvenecer realmente la piel de la cara.

SISTEMA CIRCULATORIO FACIAL

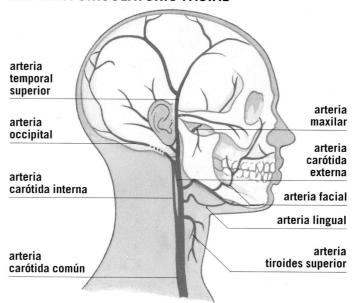

arteria temporal superior

arteria occipital

arteria carótida interna

arteria carótida común

arteria maxilar

arteria carótida externa

arteria facial

arteria lingual

arteria tiroides superior

▲ Siempre tienes que impulsar el flujo sanguíneo hacia el corazón para ayudar a estimular el impulso de oxígeno y nutrientes hacia la cara.

NÓDULOS LINFÁTICOS DE LA CARA Y EL CUELLO

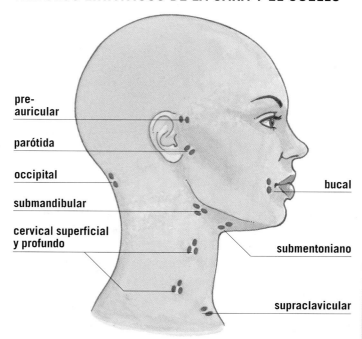

pre-auricular

parótida

occipital

submandibular

cervical superficial y profundo

bucal

submentoniano

supraclavicular

▲ Al masajear suavemente la piel de la cara y terminar cada movimiento en los nódulos linfáticos faciales se consigue estimular las zonas de desintoxicación, reduciendo las bolsas y las ojeras.

HUESOS DE LA CARA Y LA CABEZA

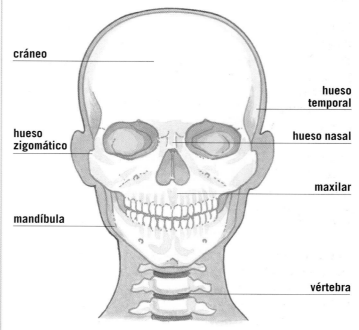

cráneo

hueso zigomático

mandíbula

hueso temporal

hueso nasal

maxilar

vértebra

▲ Un masaje suave sobre los huesos y alrededor de los mismos sienta de maravilla, además de ayudar el paso de los nutrientes de la sangre al hueso a través de su periostio de la superficie. Esto revitaliza la piel y ayuda a que los huesos faciales estén más sanos.

cómo...

HACERSE UN MINI SPA DE LA PIEL

¡Hazte un mini spa una vez por semana para mantener controladas las ojeras y la piel cetrina! Antes de empezar, limpia y tonifica al máximo. No siempre es necesario utilizar un limpiador de ojos, salvo que tengas ojos sensibles, en cuyo caso debes utilizar un limpiador suave.

① Aplica una pequeña cantidad de aceite facial caliente, o un aceite de almendra o de albaricoque a la piel con los dedos, utilizando suaves movimientos circulares para distribuir el aceite y fundirlo en la piel.

② Empezando en el centro de la barbilla, desliza lenta y suavemente los dedos hacia las orejas. Una vez ahí, levanta las manos y repite el movimiento.

③ Si lo haces correctamente, la piel debe tener un tono más pálido, y no más sonrosado. Esto demuestra que se está moviendo la linfa, y no la sangre hasta las zonas de desintoxicación delante de las orejas.

④ Utilizando el mismo movimiento circular, trabaja toda la cara en líneas, permitiendo que se relajen sus músculos faciales todo lo que sea posible. Cuando llegues a la frente trabaja hacia abajo hacia las orejas.

⑤ Termina todos los movimientos que hagas en torno a los ojos en los nódulos linfáticos para permitir drenar las toxinas acumuladas. Haz suaves movimientos circulares alrededor de los ojos por el exterior, y después aprieta suavemente en el borde de la cavidad ocular para ayudar a reducir las ojeras.

⑥ Utiliza un exfoliante facial de grano fino, cuanto más finos sean los granos, mayor será el efecto de pulido. Aclara con agua el exfoliante y el aceite facial y aplica una mascarilla que complemente tu tipo de piel. Finalmente, aplica crema hidratante y después el maquillaje.

TIPOS DE MASCARILLAS

Las **mascarillas en gel** son estupendas para las pieles grasientas, congestionadas y deshidratadas, así como para las pieles sensibles, porque no son pesadas y contienen poco aceite al tiempo que son refrescantes ¡y dan una excelente apariencia!

Las **mascarillas en crema** son estupendas para los tipos de pieles secas, maduras y dañadas por el sol ya que tienen copiosas cantidades de aceite y tienen un importante efecto suavizante.

Las **mascarillas de arcilla** se secan hasta dar un acabado fino. Están diseñadas para extraer las impurezas y hacer una limpieza profunda. Se pueden utilizar sobre todos los tipos de piel, pero funcionan mejor en pieles grasientas y congestionadas.

Las **mascarillas líquidas** suelen tener un ingrediente AHA que reaparece en la piel. Se pueden dejar en la cara bajo el maquillaje. Ten cuidado con no tratar la piel en exceso con estas mascarillas ya que sólo lograrás aumentar la sensibilidad de la piel al reducir las capas de la epidermis.

trucos del profesional

PARA LOS TRATAMIENTOS DE LA PIEL

- No gastes demasiado en cremas de noche y de día. La piel necesita protección las veinticuatro horas del día, por lo que una buena crema hidratante con factor de protección solar valdrá para cualquier momento.

- Evita utilizar directamente contorno de ojos antes de aplicar el maquillaje ya que se absorbe lentamente. Puede ser mejor aplicar un gel de contorno de ojos, pero asegúrare de que se seca bien antes de aplicar el maquillaje.

- A veces pueden salir granos o imperfecciones tras un tratamiento facial dado el efecto de desintoxicación que tiene. Las espinillas aparecen porque las células blancas están destruyendo a las bacterias, lo que genera pus. Así que el reventarse las espinillas puede liberar al cuerpo de este pus innecesario, pero ten cuidado... si aprietas demasiado fuerte, o con demasiada frecuencia, puedes dañar la piel y crear cicatrices permanentes.

Las cejas ¿naturales o modeladas?

El contorno de las cejas puede marcar una gran diferencia a la cara. Cambia la apariencia de los ojos y de la cara, además de dejar sitio para un maquillaje que destaque el carácter.

Trabaja en función de la forma natural de su ceja. Entrecierra los ojos para ver exactamente donde se encuentra la parte más gruesa de la ceja y depila en torno a esta parte para obtener la mejor forma natural. El arco de la ceja, si lo tienes, debe estar justo por encima del lado externo del iris. Esto permite que el ojo parezca más ancho y profundo.

Si tienes cejas rectas sin arco, ¡aprenda a vivir con ellas! Yo las tengo así, y las aprovecho al máximo, ya que sé que no puedo conseguir que aparezca vello milagrosamente ahí donde ¡no nace de forma natural! Sea cual sea la forma de tu ojo, opta siempre por una apariencia natural y cuidada, puesto que será mucho más sofisticada que una apariencia ¡súper fina y puntiaguda!

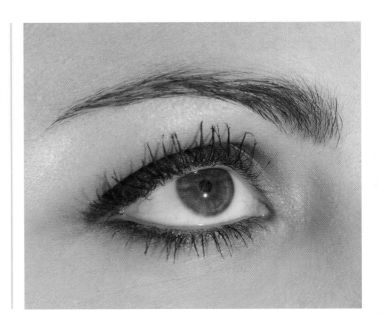

cómo...

DEFINIR EL ARCO DE TU CEJA

Al seguir los siguientes pasos puedes estimar dónde debe encontrarse el arco de tu ceja y dónde deben empezar y acabar las cejas para lograr la mejor apariencia natural.

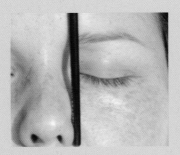

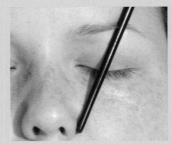

① **Alinea el pincel de cejas desde el lado de la nariz hasta el extremo interno del ojo. Así verás dónde debería empezar la ceja, por lo que puedes depilar el vello que queden del lado de la nariz para ¡evitar ser cejijunta!**

② **Pon en ángulo el pincel de las cejas desde el lado de la nariz como antes, y alinéalo con la pupila. Aquí es donde debería aparecer el arco de forma natural por lo que, si los pelos no aparecen ordenados aquí, puedes depilar los que sobran para desarrollar el arco de la ceja.**

③ **Para lograr la longitud correcta de la ceja, alinea el pincel de cejas desde la nariz hasta el extremo externo del ojo. Depila los pelos que queden hacia el lado de la oreja.**

④ **Una vez que tienes las directrices para trabajar, quita los pelos indeseados. Para suavizar el dolor, estira la piel con dos dedos; esto abrirá los folículos y ayudará a sacar el pelo. A menudo, un cubito de hielo o una crema suavemente anestesiante puede ayudar a reducir el dolor del depilado, pero si se te mete la crema en el ojo asegúrate de acudir al médico.**

cómo...

DEPILARSE LAS CEJAS

Invierte en unas buenas pinzas de depilar con puntas afiladas para las cejas, ya que esto ayudará a crear rápida y más eficazmente la mejor forma natural. No hay nada más molesto que tirar varias veces del mismo pelo porque las pinzas no están afiladas y ¡no agarran!

① **Empieza cepillando los pelos de la ceja hacia arriba con el pincel de cejas. Después mide la ceja (*véase* la página anterior) y utiliza un lápiz de ojos para pintar por encima de los pelos que quieres quitar.**

② **Estira la piel y depila los pelos que no quieras. Nunca quites más de los que pintaste inicialmente con el lápiz blanco hasta que no hayas depilado las dos cejas. Quita sólo un pelo cada vez y depila alternativamente una y otra ceja para mantener siempre la igualdad entre las dos.**

HUECOS Y CALVAS

No depiles nunca pelos de la parte superior de las cejas, ya que esto da una apariencia sesuda. Depila cualquier pelo suelto, pero no quites más de los necesarios, es mejor desteñir esta zona. Si cometes errores, o hay calvas naturales, pon polvo o lápiz con un pincel para rellenar los huecos. Peina para lograr un acabado acicalado.

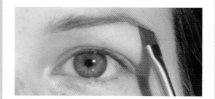

▲ *Rellena los huecos con lápiz o polvo de cejas.*

▲ *Peina suavemente los pelos con un pincel para cejas.*

trucos del profesional

PARA LOS TRATAMIENTOS DE LAS CEJAS

- No sigas las modas sobre el contorno de las cejas; si depilas en exceso, es posible que no vuelvan a crecer, así que ¡estás advertida!

- La depilación manual y con cera duelen, por lo que debes estirar la piel con los dedos siempre que sea posible y quitar los pelos en la dirección en que crecen cuando te depilas manualmente.

- Intenta depilar desde la raíz del pelo, pero ¡ten cuidado con no poner demasiado celo en ello y tirar de la piel también!

- Siempre debes empezar con la ceja que peor se te da; es fácil depilar en exceso cuando se utiliza la mano más fuerte, por lo que debes empezar en el lado opuesto.

- Si te depilas con cera, quita la tira lo más deprisa que puedas, pero siempre debes estirar la piel al mismo tiempo. Esto evitará un enrojecimiento, lesiones y que se seque la piel demasiado.

- Si tus cejas están muy poco pobladas, utiliza un lápiz de cejas para volver a definir la forma que quisieras tener pero, recuerda, busca una forma natural y sigue la forma de la cuenca de tus ojos o, de lo contrario, ¡te encontrarás con un payaso cuando te mires al espejo!

cómo...

DEPILAR LAS CEJAS CON CERA

¡Siempre recomiendo la depilación con cera en un salón profesional! Es pegajosa, impredecible y está caliente, así que no corras el riesgo de quedarte "sin cejas" ¡y acude al salón de belleza! Sin embargo, si te sientes valiente, he aquí cómo se hace:

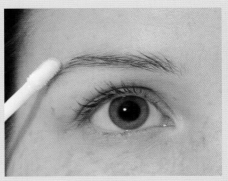

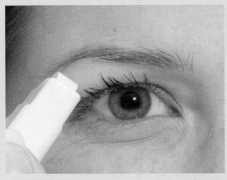

① Limpia la ceja y cepilla los pelos hacia arriba utilizando el pincel de cejas, de forma que todos los pelos apunten hacia la línea del pelo.

② Aplica vaselina como barrera en los pelos que no quieres quitar y corta la espátula y las tiras de cera al tamaño deseado.

③ Aplica cera en la ceja en la dirección del crecimiento del pelo. Tira de la tira de cera en dirección opuesta al crecimiento del pelo al tiempo que estiras la piel para suavizar el tirón.

DECOLORAR LAS CEJAS

Cada vez hay más gente que se decolora las cejas porque se quiere tener control del color de éstas en vez de dejarlo en manos de la naturaleza. Es realmente fácil, y he aquí cómo se hace:

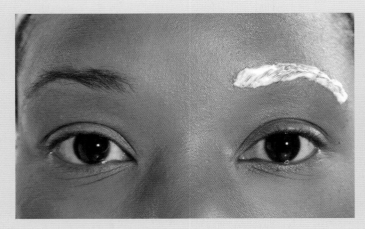

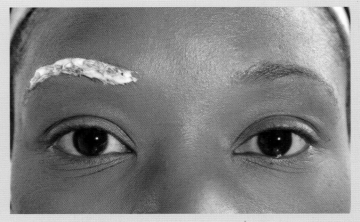

① Limpia las cejas y péinalas hacia arriba. Siguiendo las instrucciones del fabricante, aplica el blanqueador a toda la ceja y déjalo durante el tiempo estipulado. Cuanto más tiempo dejes el blanqueador, más descolorida quedará la ceja.

② Cuando hayas quitado el blanqueador, da forma a las cejas si es necesario. Si crees que han quedado demasiado claras, aplica lápiz de cejas o tíñelas hasta obtener el color que deseas. ¡Puedes incluso optar por colores fantasía!

Tinte y permanente

El tinte y la permanente de las pestañas son un fenómeno creciente y en la actualidad hay muchos salones de belleza que ofrecen habitualmente estos tratamientos duraderos.

TINTE DE LAS PESTAÑAS

El tinte es un proceso no permanente para que cejas y pestañas parezcan más oscuras. El efecto dura entre cuatro y seis semanas, o hasta que se caen los pelos. Lo ideal sería que optes por un color que se ajuste al color natural de tu pelo o al tono de tu piel, pero la elección de un color parecido al de tu máscara de ojos favorita también puede proporcionar un efecto poco natural, pero sorprendente.

COLORES DE TINTES PARA PESTAÑAS

 Azul/negro Extremadamente dramático, el azul proporciona profundidad interna al negro, y también es más duradero. A evitar en las pieles muy claras.

 Negro Válido para todo el mundo y para quienes se ponen máscara de ojos negra. Da una apariencia fantástica que dura aproximadamente un mes.

 Marrón Un color natural para el pelo rubio y canoso, puede parecer muy oscuro al principio pero en los siguientes días se hará más natural.

 Gris Un acabado muy ligero que sólo se utiliza en las clientas más mayores o en aquellas que están realmente en contra de los teñidos. Los resultados serán apenas perceptibles.

---

trucos del profesional

PARA TEÑIR LAS PESTAÑAS

- Si se te mete el tinte en los ojos picará, ¡pero no te asustes! Parpadea unas cuantas veces y lávate el ojo con agua y estarás perfectamente.

- No, no se pueden aclarar las pestañas. Así que, ¡ni lo intente!

▲ *Productos compactos para cejas y pestañas.*

PERMANENTE DE LAS PESTAÑAS

Utilizando una loción permanente y neutralizadores, se aplican rulos de permanente a las pestañas para darles un rizo permanente que dura de cuatro a seis semanas. Los distintos tamaños de los rulos proporcionan un rizo suave, natural o exagerado a las pestañas, por lo que debes elegir el rulo que mejor se ajuste a tus necesidades. El proceso de aplicación es el mismo independientemente del rizo que quieras. Con este tratamiento ya no hacen falta los rizadores de pestañas así que, ¡rízatelas!

Pestañas rectas y limpias

Aplica los rodillos y la loción de permanente siguiendo las instrucciones del fabricante. Las pestañas permanecerán rizadas durante varias semanas y ayudarán realmente a abrir el ojo y a alargar las pestañas.

▲ *Aplica los rodillos rizadores*

▲ *¡El resultado final es sorprendente!*

---

trucos del profesional

PARA HACER LA PERMANENTE A LAS PESTAÑAS

- ¡No abras los ojos, pues la loción permanente puedes ser muy irritante!

- Si tienes pestañas rectas que no se pegan bien al rodillo, utiliza un adhesivo de pestañas para pegarlas entorno al rodillo; ¡se las puede domar!

- Sigue siempre las instrucciones del fabricante ya que los productos varían enormemente y querrás que el resultado sea el mejor posible.

EXTENSIONES DE PESTAÑAS

Es muy popular alargar las pestañas, y se puede hacer de una de las tres siguientes maneras:

Es mejor utilizar **pestañas individuales** en la parte superior externa del ojo para exagerar la longitud y anchura del ojo. Recórtelas antes de poner el adhesivo si son demasiado largas, y utilice pinzas, y no los dedos, para posicionarlas en la raíz de los pelos.

Las **tiras de pestañas** ofrecen un voluptuoso efecto de espesamiento que puede ser muy drástico. Recórtalas antes si es necesario ¡y utiliza pegamento y las pinzas para evitar tener los dedos pegajosos!

Los productos que potencian el **crecimiento de las pestañas** pueden ser caros y suelen contener colágeno y elastina para hidratar las pestañas y lograr que parezcan más largas y en mejor estado. Los efectos solo duran mientras el pelo está en el folículo, por lo que es esencial una aplicación regular.

▲ *Aplica a diario un tratamiento de cuidado de las pestañas*

▲ *Las pestañas bien cuidadas parecen más gruesas.*

trucos del profesional

PARA LAS EXTENSIONES DE PESTAÑAS

- Utiliza con mesura el pegamento de pestañas ¡y evita que te entre en el ojo!

- Utiliza pinzas para aplicar las pestañas ya que el pegamento se pegará a los dedos y puede terminar siendo un proceso muy engorroso.

- No arranques las pestañas falsas porque lo más habitual es que tus pestañas naturales estén pegadas a ellas ¡y te quedarás con una calva en las pestañas! Utiliza por el contrario un disolvente de pegamento adecuado para quitarlas suavemente y sin dolor.

Depilación facial con cera

El vello facial puede ser un problema importante, por lo que mucha gente quiere depilarse con cera encima del labio superior o la región facial de manera habitual para evitar que se pegue al maquillaje y el polvo al vello.

COSAS QUE HAY QUE HACER Y COSAS QUE NO HAY QUE HACER

Es fácil depilarse con cera, pero también es fácil hacerlo mal. He aquí unas cuantas cosas que hay que hacer y otras que no.

COSAS QUE HAY QUE HACER:

✔ Limpia la piel exhaustivamente antes de depilar con cera, ya que ésta se pega al maquillaje y produce una superficie resbaladiza, de forma que no podrás quitar el vello bien.

✔ Aplica una fina capa de cera. Es difícil tirar de una capa muy gruesa por lo que podrías terminar en una situación "muy pegajosa".

✔ Quita la cera rápidamente y estira la piel para evitar el enrojecimiento. Aplica una loción para después de la cera para refrescar la piel de inmediato y, si aparecen bultitos rojos por el calor, aplica una compresa fría durante diez minutos para reducir su aparición.

COSAS QUE NO HAY QUE HACER:

✘ Calentar excesivamente la cera, puesto que se quemará la piel y todavía tendrás que quitar la cera, lo que puede resultar muy doloroso.

✘ No utilices crema hidratante en la zona durante unas ocho horas, ya que contiene perfume y alcohol, lo que puede exacerbar el enrojecimiento y provocar una reacción alérgica.

✘ No pongas demasiada cera en la zona. Si quedan pelos tras el primer intento, depílalos con las pinzas en vez de poner más cera, ya que la piel ya estará muy sensible. Asegúrate de que sólo pones cera en las partes velludas, puesto que si pones cera en otras partes puedes provocar que crezcan más pelos ¡que no es precisamente lo que queremos!

✘ Nunca depiles con cera sobre heridas o piel irritada. La cera quita las células muertas de la superficie y empeorará cualquier problema de la piel.

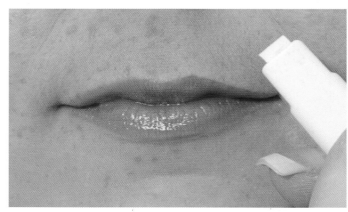

Impulsores químicos

Los cirujanos plásticos y dermatólogos utilizan normalmente exfoliantes químicos para revitalizar la piel de la cara, el cuello y las manos, quemando las capas superficiales de la epidermis para eliminar las líneas finas, las cicatrices y las marcas de pigmentación y del daño provocado por el sol. Cuanto más profunda sea la exfoliación química, mayor será el tiempo de convalecencia, de una hora a varios meses.

PARA UNA RECUPERACIÓN PAULATINA DE LA PIEL

Los exfoliantes químicos suaves como el AHA (ácido alfa hidroxiácido) son menos abrasivas y se utilizan para realizar una exfoliación somera pero, cuando se aplican con más potencia, pueden tener un efecto de aclaración de la pigmentación y la piel desigual puesto que eliminan la primera capa de la epidermis. La microdermoabrasión es parecida en sus efectos y potencia, pero utiliza afiladas partículas de arenisca que se aplican a la cara y se aspiran para revelar este efecto de exfoliación más profunda.

COMO TRATAMIENTO ANTIENVEJECIMIENTO Y PARA QUITAR ARRUGAS, LÍNEAS FINAS, CICATRICES Y LA PIGMENTACIÓN

Los exfoliantees químicos de potencia media que utilizan ácido tricloroacético son más abrasivos y pueden llegar fácilmente a la dermis de la piel. Requieren un tiempo de convalecencia de unas tres semanas y la piel mostrará señales de saneamiento poniéndose muy roja al principio y desarrollando una costra que caerá por sí sola en el plazo de una semana. Estos tipos de exfoliantes químicos son muy desagradables y la mayoría de los profesionales aconseja que se tomen calmantes durante el período de convalecencia. El proceso de curación total requiere semanas y puede cambiar la pigmentación de la piel.

PARA UN TRATAMIENTO DRÁSTICO PARA ELIMINAR CICATRICES, TATUAJES Y MARCAS DEL ACNÉ

Los exfoliantees químicos de las capas profundas de la piel que utilizan fenol, son muy potentes y eliminan la epidermis y la mayor parte de la dermis, provocando una piel muy dolorida, inflamada y llena de costras durante varias semanas. Es tan potente que, con frecuencia, el tono natural de la piel será más pálido tras la exfoliación química y nunca volverá a su tono normal. También se te aconsejará muy enérgicamente que nunca permitas que te dé el sol en tu "nueva" cara, y tendrás que llevar la cara vendada durante, al menos, ocho días. Se trata de una operación muy seria y muy dolorosa, por lo que es esencial que la realice un médico. La dermoabrasión tiene resultados análogos, pero se realiza muy burdamente, ya que se utilizan pinceles de metal o piel de lija de alta velocidad para "arrancar" la epidermis y toda la dermis. El tiempo de convalecencia es largo, con un tiempo de sanación total de seis meses.

Hay mucha gente que está optando por recuperar la complexión juvenil con la ayuda del Botox, cremas e inyecciones de colágeno. Las cremas tópicas tienen un efecto temporal, si es que tienen alguno, ya que la piel es una barrera muy eficaz y es casi imposible que el colágeno constituyente entre en la dermis de la piel donde se encuentra en su estado natural. Los productos inyectados serán más eficaces y tendrán efectos durante un período de entre ocho semanas y seis meses.

BOTOX

El Botox es una forma cosmética de la toxina botulínica. Bloquea temporalmente los impulsos nerviosos que se envían del sistema central a los músculos, haciendo que éstos queden inmovilizados. Aplicado sobre las áreas que muestran las expresiones, como los ojos y la frente, se reducen las arrugas y líneas finas, pero es difícil mover la cara. En Hollywood los famosos han extendido la utilización del Botox para evitar la sudoración de las axilas y para asegurarse de que los zapatos de tacón no les cansan los pies ¡poniéndose inyecciones en las plantas de los pies!

COLÁGENO Y TRANSFERENCIAS DE MATERIA GRASA

Hace muchos años que se utilizan las inyecciones de colágeno para rellenar las áreas arrugadas y añadir volumen a los labios. Esta apariencia es sólo temporal y no previene las arrugas. Sin embargo, para evitar el horrible "morro de trucha" por el que se han sobredimensionado los labios, ya sea debido a un exceso de tratamiento o a una reacción alérgica al colágeno, siempre debe acudir a un profesional. Se utiliza el colágeno bovino de ganado criado especialmente para ello y hay un auténtico riesgo de padecer reacciones alérgicas, ¡por lo que es esencial hacer pruebas primero con parches! Las transferencias de materia grasa son frecuentes en quienes están dispuestas a cultivar sus propias células de grasa para tener una apariencia más rellena pero, sin embargo, en las áreas de expresión no tienen una duración tan larga como otros tratamientos parecidos, y el tiempo de convalecencia es mayor.

Crema de protección solar

Cada vez que salimos fuera de casa los rayos del sol inciden sobre nuestra piel y generan una reacción que hace que la piel produzca melanina y se ponga morena. La melanina es nuestra única defensa natural contra el sol, por lo que se necesita una protección adicional.

LUZ ULTRAVIOLETA

El sol emite una luz ultravioleta ¡incluso cuando está nublado! Esta luz se divide en tres tipos de rayos: UVA, UVB y UVC. Se ha demostrado que el sol es la peor causa de envejecimiento cutáneo y, como se sabe ahora, provoca cáncer de piel. También es responsable de la pigmentación y del crecimiento y cambio de los lunares.

★ **UVA** Este tipo de rayos no se puede filtrar con cristal, penetran hasta las capas más profundas de la piel, dañando fácilmente a la piel desde dentro. A diferencia de la luz UVB, la luz UVA es constante y puede provocar daños independientemente de lo soleado o nublado que esté el día.

★ **UVB** Es más superficial y, por tanto, suele ser responsable de las quemaduras. La luz UVB no atraviesa el cristal y alcanza su máxima potencia cuando el sol está más alto y brillante, entre las diez de la mañana y las dos de la tarde.

★ **UVC** Este tipo de rayos se absorben normalmente por completo en la capa de ozono pero se cree que, dado el agujero en esta capa, en los años venideros veremos más problemas de la piel provocados por los rayos UVC.

El sol provoca la descomposición del colágeno de la piel de forma que es menos eficaz. Esta reacción fomenta la producción de fibras de elastina llamadas "cicatrices solares" que deforman la dermis y producen líneas y estrías en la superficie de la piel. Éstas se manifiestan como líneas finas y arrugas.

Los radicales libres son moléculas de oxígeno inestables que también provocan daños de la piel y disminuyen el colágeno. Se encuentran por todas partes y pueden cambiar la composición esencial de una célula humana y distorsionar sus genes, dando lugar a células cancerosas.

Cuando nos quemamos bajo el sol nuestro cuerpo se protege matando las células dañadas de la piel. Esto se manifiesta cuando la piel se pela que es la forma que tiene el cuerpo de intentar prevenir un serio perjuicio a la piel.

La utilización de crema de protección solar de un factor de protección mínimo de quince protegerá a la mayoría de las pieles de forma cotidiana. Si quieres ponerte morena empieza con una crema de elevado factor de protección solar y reduce el factor muy paulatinamente. Recuerda, si te quemas, el

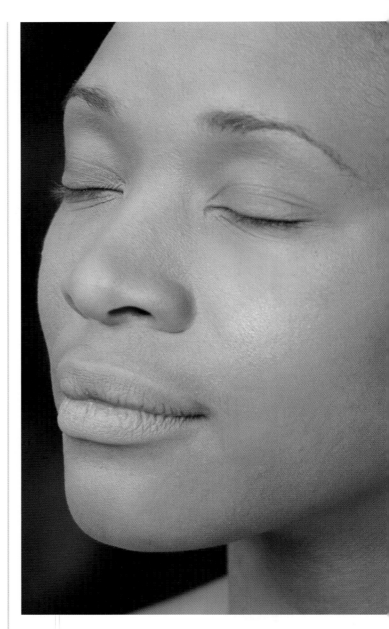

bronceado no será tan duradero porque te pelarás ¡y el color moreno se irá con el pellejo!

Algunas cremas de protección solar absorben los rayos del sol, mientras que las mejores los bloquean totalmente. No cometas el error de creer que, si tienes la piel muy clara, todavía te puede poner morena, ¡sólo que tardarás más! No es cierto, puede que todo lo que consiga ¡sean más pecas!

La forma más segura de ponerse morena es con un bronceador artificial: no hay nada que funcione mejor para dar color al tiempo que es seguro.

Maquillaje bajo el sol

A medida que se caliente tu cuerpo, tu piel sudará de forma natural para enfriar la temperatura central del cuerpo y evitar un exceso de calor. El maquillaje moderno suele aguantar, aunque el truco para mantener el maquillaje es secar el exceso de agua con pequeños golpecitos, y no restregarse.

Muchos preparados de maquillaje se funden en altas temperaturas, razón por la que no es mala idea guardar los cosméticos en la nevera. Sin embargo, cuando estés de vacaciones ponte el menor maquillaje posible en la cara para evitar estar incómoda y parecer ¡un muñeco de cera que se funde! Hasta el esmalte de uñas se puede fundir al sol, por lo que el mejor plan en el calor estival para tener una apariencia de frescura es ir apenas maquillada.

Broncearse sin el sol

Es más seguro que broncearse bajo el sol y con el desarrollo de los sprays de bronceado y las lociones bronceadoras de lenta acumulación han disminuido en gran medida las posibilidades de terminar con un moreno a manchas.

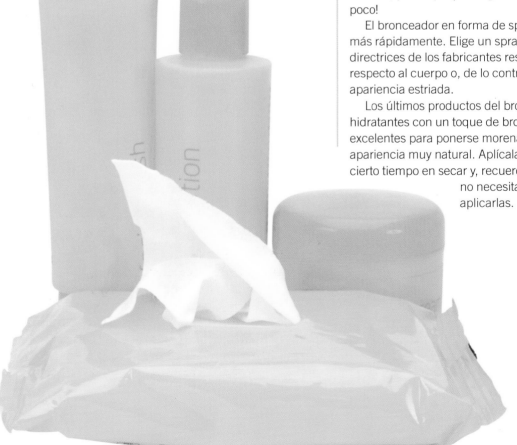

Al aplicar una mousse de autobronceado asegúrate de llevar guantes y de aplicarla homogéneamente. Las mousses tienden a ser productos delicados, por lo que es posible que necesites más para lograr la apariencia que anhelas.

Las lociones tienden a ser pegajosas debido al contenido de aceite, por lo que el truco consiste en aplicar una capa fina y volver a aplicar la loción si es necesario. No hay nada más aburrido que andar como una zombi durante horas para secarse, por lo que ¡conseguirás avanzar mucho poniéndote poco!

El bronceador en forma de spray tiende a ser el que se seca más rápidamente. Elige un spray fino y sigue las líneas directrices de los fabricantes respecto a la distancia del spray respecto al cuerpo o, de lo contrario, se podría correr y dar una apariencia estriada.

Los últimos productos del bronceado son cremas hidratantes con un toque de bronceador en ellas. Son excelentes para ponerse morena paulatinamente y lograr una apariencia muy natural. Aplícalas en capas finas porque tardan cierto tiempo en secar y, recuerda, al ser cremas hidratantes, no necesitas hidratar la piel antes de aplicarlas.

04 | el lienzo natural

el lienzo natural

Sería imposible fotografiar cada tonalidad de la piel para este capítulo ¡porque hay cientos! Así que he agrupado los tipos de colores pero el tono concreto de tu piel es muy particular, y el secreto de un buen fondo de maquillaje es encontrar uno que ¡sea invisible en la propia piel!

> No tienes un 'color' por la etnia, a la que perteneces; simplemente, tienes un color, y nos esforzamos por complementarlo

No hay duda de que, en los últimos años, las mujeres con pieles de tonos más oscuros han estado realmente subestimadas en el mercado del maquillaje, con muy poca elección de colores y texturas disponibles. Sin embargo, con la inspiración de modelos como Iman y Naomi Campbell, se ha igualado el surtido de forma que todos los hombres y mujeres pueden elegir libremente el maquillaje que desean.

La maravillosa variedad de cosméticos y maquillajes que vemos en los estantes de los grandes almacenes no debe asustarnos, sino parecernos un mar de maravillosas opciones y experimentación. Con frecuencia, la forma más fácil de abrirse camino entre los contadores de cosméticos que le interesan en el comercio es preguntar en qué se diferencian. Si te gusta lo que oyes busca en la selección de muestras y maquillajes de prueba. Normalmente, la única razón por la que no te regalan muestras es ¡porque quieren que te sientas presionada para comprar allí y ahora! No lo hagas... tómate tu tiempo y descubrirás que las mejores empresas te dan muestras gratuitas o te maquillan para demostrarte qué te viene mejor de su gama. Esto te permitirá hacer una elección informada sin gastos innecesarios.

Terapia de color

Así pues, ¿qué te va bien? El color se estudia como una forma de terapia, y hay unas pocas líneas directrices que puedes querer analizar, o no, ¡por pura diversión! Sé por experiencia que la terapia de color hace maravillas para el bienestar interior y exterior, y marca una inmensa diferencia. Vamos a fijarnos en cómo podemos invitar el color en nuestra vida ¡y romper las limitaciones de nuestros antiguos marrones favoritos!

Pieles pálidas

Si, como yo, estás acostumbrada a buscar maquillajes denominados crudo, querubín o porcelana, esta complexión maravillosamente pálida se corresponde a la tuya. Este claro tono de piel puede verse en pelirrojas, morenas y rubias, con diversos colores de ojo, por lo que es difícil dar una serie de reglas puras y duras. Tu tono base es el que tienes de forma natural cuando estás bronceada, pero es esencial que el fondo de maquillaje que te pongas se ajuste al color de tu piel con los cambios de las estaciones.

Normalmente, este color de piel es sinónimo de una textura fina, que puede aparentar tener tonos azulados. Las iconos del maquillaje de la historia estaban desesperadas por conseguir la apariencia más clara posible, y muchas fracasaron. Este tono de piel no tiende a broncearse fácilmente y se quemará con la exposición al sol. A veces puede parecer roja, pero no es necesariamente sensible. Muchos colores quedan de maravilla con este color de la piel, pero las personas que lo tienen tienden a ponerse del lado seguro con los marrones, grises, negros y morados. Se pueden conseguir fácilmente tanto apariencias naturales como poco naturales. El único crimen sería ¡no experimentar con este tono de piel!

COLORES DE BASE

El color de la piel cambia de forma notable a lo largo del año y este rango de tonos de piel más claros experimenta unos cambios destacados. Algunas pieles se broncearán a pesar de que tienen una base clara, mientras que otras no, pero este tono es muy susceptible a las pecas y los crecimientos de los lunares por pigmentación debido a una exposición al sol de larga duración. Este color de piel tampoco oculta bien las emociones y es fácil sonrojarse, igual que es fácil mostrar una mala salud interna en forma de oscuras bolsas bajo los ojos y una apariencia grisácea y cansada.

▲ *Esta gama de colores varía de los tonos crema a los rosas, melocotón, beige claro y vainilla.*

LA RUEDA DEL COLOR

¡El colorete debería reflejar un rubor! Así que debes elegir tonos rosados o melocotón para este color de piel. Los bronces dan una buena apariencia, pero no apliques demasiado porque podría dar una apariencia cansina. Las sombras de ojos existen para experimentar con ellas, pero se pueden utilizar marrones, naranjas y rosas pálidos junto a azules, verdes y morados muy oscuros así como azul marino.

Por regla general, si quieres que tus ojos destaquen, debes suavizar el color de los labios. Por otra parte, si quieres destacar tu boca, opta por colores naturales en los ojos y utiliza un color más fuerte en los labios. Para el maquillaje de todos los días, ponte beige, rosas, marrones y rojos.

Para los labios, los ojos y las mejillas, las sombras neutras como los marrones, naranjas, rosas y pasteles dan una mejor apariencia en la piel pálida. Sin embargo, aunque la elección del color puede no ser vívida, ¡no tengas miedo de optar por tonos oscuros!

▲ *La piel aceitunada tiene una base amarillenta, por lo que funcionan bien diversas sombras con una base amarilla, de marrón claro o bronce.*

y naturales funcionan bien con la mayoría de los colores. Las morenas suelen ser las que tienen esta tonalidad de la piel.

COLORES DE BASE

La piel de color verde oliva tiene muchos tonos distintos pero, a medida que envejece, reacciona de forma parecida. Esta piel suele broncearse fácilmente y pocas veces se quema. Si se quema con el sol, suele cambiar rápidamente al marrón con pocas repercusiones. Este tipo de color de piel suele mostrar la mala salud empalideciendo, y si se está cansada o agotada puede aparecer un tono amarillento cetrino.

LA RUEDA DEL COLOR

El colorete de color albaricoque o rosa queda muy bien en este tono de piel ya que añade calidez y brillo a la piel que puede que carezca de rubor natural.

Los colores y sombras de ojos varían enormemente pero utilice grises y azules, junto a vainillas, verdes e, incluso, violetas.

Para los labios, los rojos, naranjas, marrones y rosas claros resultan realmente halagadores y, con frecuencia, en verano funciona muy bien poner brillo y destellos de bronce.

Pieles aceitunadas

Estos tonos son colores ricos, cálidos. En este tipo se pueden incorporar también los tonos amarillentos de la piel y es fácil que se describa el color aceitunado como tal en los anuncios de maquillaje y en las herramientas del marketing.

Aquí cabe aplicar una amplia gama de colores y éste es el tono de piel que más necesita una base. En esta piel funcionan bien tanto los colores brillantes como los colores naturales que pueden hacer que esta piel sea ¡tanto bochornosa como asombrosa!

La piel aceitunada puede, con frecuencia, reflejar mucho la luz y destacar muy bien, con menos problemas de lesiones solares que su contraparte más pálida, ya que este tipo de piel tiene una buena base de melanina para protegerse de los indeseables rayos UVA y UVB. Por lo general, sus tonos cálidos

Pieles moka y chocolate

Los tonos de piel más oscuros muestran maravillosamente el color y, aunque en este grupo hay numerosas tonalidades más claras y más oscuras, las elecciones son universales y flexibles. ¡No siempre tiene que ser marrón y beige!

Las pieles de color oscuro tienden a tener una apariencia brillante, pero no suelen ser grasientas. Se puede cubrir este brillo fácilmente pero, para mantener la apariencia natural, hay que permitir que brille un poco y acentuarlo con bronceador.

Los tonos de piel más oscuros se portan bien bajo el sol ya que, aunque no tienen más gránulos de melanina en la dermis, éstos tienden a ser mayores, lo que ayuda a proteger esta piel de los estragos del sol y el envejecimiento. A menudo, esta preciosa gama de tonos moka puede ser susceptible de padecer una hiper-pigmentación, que se produce cuando se ha dañado la dermis y se ha oscurecido o aclarado. Se puede cubrir fácilmente, pero es algo a tener en cuenta al aplicar el corrector.

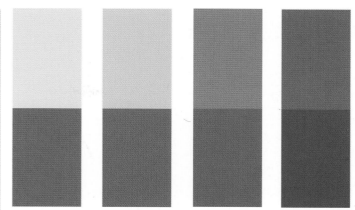

▲ *Chocolates, café, caramelo y moka: todas estas deliciosas tonalidades son clásicos tonos oscuros de la piel*

COLORES DE BASE

Los tonos de piel más oscura pueden tener una apariencia grisácea si se utilizan productos que contienen mica, por lo que debe tenerlo en cuenta cuando elijas tus colores. Esta piel tiende a no tener manchas y, con frecuencia, sólo padece irregularidades de textura que se pueden solucionar con un buen cuidado de la piel. Estos tonos también permiten que la piel tenga una apariencia juvenil durante más tiempo. Pero sigue siendo muy necesario aplicar cremas de protección solar, y los daños provocados por el sol aparecerán como irregularidades de la pigmentación.

LA RUEDA DEL COLOR

Colorete Un bronce oscuro logra estupendos resultados con este color de piel y da un ligero brillo que tiene un toque muy sexy. Los colores bermejos también funcionan, y el naranja, el rosa, el borgoña y el oro quedan fantásticos.

Las sombras de ojos vibrantes pueden ser fabulosas pero, para una apariencia más clásica, opta por el cobre, marrón, chocolate, castaño y vainilla, que son estupendos, así como los morados, violetas y bronces.

El oro, bronce, el morado oscuro y el rojo son buenas elecciones de pintalabios, pero el canela, el café, o simplemente brillo, quedan sorprendentes.

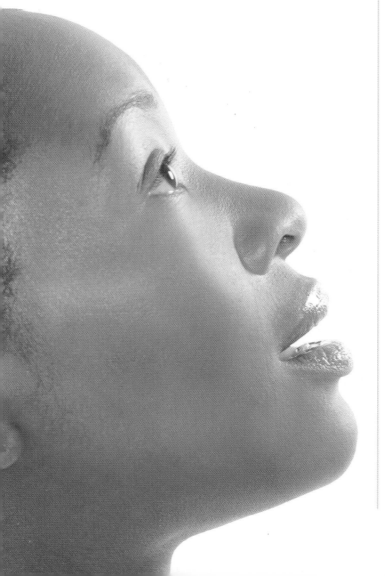

05 | fondos de maquillaje

fondos de maquillaje

Los fondos de maquillaje de hoy en día no son meramente correctores del color, sino protectores contra el sol, cosméticos antienvejecimiento y tratamientos de terapia de la piel. Estamos en la era ultramoderna del maquillaje en la que se puede alcanzar la perfección, por lo que una norma esencial es complementar los tonos, colores y rasgos naturales de la piel.

Elige un producto que cuide de la identidad de tu piel y se ajuste a tu color. Puedes tener ambos, por lo que debes probarlos e insistir en que te den una muestra para ver el resultado final. Las mejores empresas de venta de productos de maquillaje quieren darte el mejor fondo de maquillaje, por lo que debe dejarte experimentar para encontrar la más adecuada. Siempre debes probar el producto en la línea de la mandíbula y en la cara, y ¡no en el reverso de la mano! Y, si puedes, prueba la base en las áreas más oscuras y claras de la cara al mismo tiempo. Esto constituirá un reto para cualquier combinación para "difuminarse" con naturalidad con el color de tu piel.

Bases que alivian la piel Contienen vitaminas y protección solar para nutrir y proteger la piel, evitar el envejecimiento prematuro y luchar contra los radicales libres, además de tratar de lujo a la piel, manteniéndola suave y brillante.

Bases de difusión suave Estos productos inteligentes reflejan la luz en la cara, en vez de absorberla, lo que detrae la atención de cualquier área problemática y da una apariencia general de textura homogénea.

Bases simples Dejan un acabado aterciopelado y pueden dar una apariencia estupenda, pero recuerda que es posible que resalten las imperfecciones. Este tipo de fondo de maquillaje queda mejor en las pieles jóvenes y homogéneas.

Da textura

Las distintas formulaciones del fondo de maquillaje tendrán una cobertura y efectos distintos; pruébalas todas en tu piel y mira cuál te sienta mejor. En verano probablemente quieras crear una apariencia más clara y radiante que en invierno, por lo que debes cambiar la formulación, no su color. El fondo de maquillaje no te dará el bronceado que siempre has querido, sólo creará una línea que te recordará ¡que no fue la mejor elección! Si quieres aumentar el resplandor, prueba un bronceado artificial primero.

Tómate tu tiempo con el fondo de maquillaje **y asegúrate de elegir el** mejor color **y la textura de base apropiada**

BASE TINTADA

Se puede poner una base tintada en todos los tipos de piel, pero es mejor en las que necesitan muy poca cobertura. Con frecuencia proporcionan protección solar y es espectacular en vacaciones cuando puede que quieras solo un toque de color pero, fundamentalmente, un efecto de que "apenas hay algo ahí". Se aplica mejor con los dedos, ya que la esponja absorberá demasiado producto que puede ser un desperdicio muy caro.

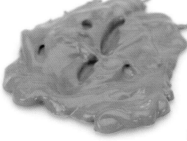

BASE DE MOUSSE

Una aplicación muy ligera y de secado rápido. La mayoría de las mousses dan una cobertura somera y tienen propiedades análogas a las de las cremas hidratantes teñidas. Probablemente no llevarán protección solar, y se aplican mejor con los dedos ya que la esponja absorberá demasiada mousse. Son excelentes en pieles jóvenes y en aquellas que no siempre se ponen un fondo de maquillaje.

BASE LÍQUIDA

Suele ser un líquido con base de agua o aceite, y es muy buena para las pieles secas, deshidratadas mixtas. Proporciona una cobertura media y se aplica mejor con una esponja compacta. Algunos líquidos de textura más firme funcionan bien cuando se calientan primero ligeramente con los dedos sobre la palma de la mano. La experimentación te dirá cual es la mejor opción en función de la consistencia de su líquido.

CREMA DE BASE

Una cobertura media a espesa para todos los tipos de piel que se utiliza fundamentalmente para lograr una complexión inmaculada para fotografías y películas. Este fondo de maquillaje durará todo el día. Aplícalo con los dedos para manipular la textura y aclarar la aplicación en torno a los ojos para evitar líneas y arrugas exageradas cuando se seque la base. Para la aplicación cotidiana, solo deben utilizarla quienes tengan una piel seca ya que puede ser demasiado nutritiva.

BASE COMPACTA

Fácil de llevar, los fondos de maquillaje compactos se aplican mejor con una esponja y quedan mejor en pieles jóvenes, mixtas o deshidratadas. Las pieles extremadamente secas y grasientas pueden carecer de una cobertura consistente con este tipo de fondo de maquillaje, ya que los polvos se pegarán a las partes secas y se resbalarán de las partes más grasientas. Prefiero utilizar estas bases sin añadir agua, a pesar de que esto es lo que se recomienda, ya que pueden crear grumos haciendo que sea difícil aplicarlas.

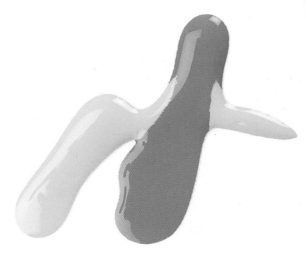

BASE EN POLVO

Son distintas de las bases compactas porque son casi polvo puro y solo se deberían utilizar realmente para recubrir el fondo de maquillaje con un acabado mate, o en las pieles maduras para lograr un fondo de maquillaje ligero. Se pueden aplicar con la esponja que viene con ellas o con un pincel, según prefieras.

BASE LÍQUIDA DE LARGA DURACIÓN

Los fondos de maquillaje de larga duración se aplican para lograr una cobertura espesa, y se secan rápidamente, por lo que hay poco tiempo para aplicar estos productos. Sin embargo, la práctica hace la perfección y, una vez sobre la base, ¡se pegan como el pegamento! Recuerda que, para que este producto quede bien, debes aplicarlo y difuminarlo rápidamente. Con frecuencia, el añadir un poco de crema hidratante a la base antes de la aplicación te dará más tiempo para aplicar este producto.

BASE EN BARRA

Este fondo de maquillaje es muy espeso, para una cobertura gruesa. Aplícalo con los dedos para suavizar la base de cera. Este fondo de maquillaje se puede utilizar con todos los tipos de pieles, especialmente para quienes quieren una base impecable, pero es poco natural, para las fotografías. Tiene una textura muy parecida a la del corrector, y es igual de espeso pero, cuando se utiliza en la ocasión adecuada, o en determinadas partes de la cara, puede crear una apariencia excelente.

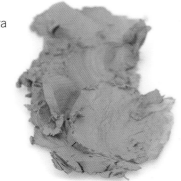

Regreso al futuro

El futuro de los fondos de maquillaje se encuentra en las empresas de cosméticos más avanzadas, que están desarrollando productos increíbles, incluyendo fondos de maquillaje pigmentados que tienen partículas de colores suspendidas en formulaciones de gel para dar una apariencia increíblemente natural que durará todo el tiempo que las lleves. La tecnología óptica también está desarrollando nuevos productos, con líquidos fotoreflectantes que contienen muchas capas de pigmentos que evitan que la luz o la mirada se concentren en un área, dando la ilusión de una piel inmaculada. Estos pigmentos también permiten que el fondo de maquillaje cambie de color con distintos tipos de luz, por lo que tendrá una apariencia tan resplandeciente bajo la luz natural ¡como por la tarde o en un estudio de fotografía!

Es sorprendente la cantidad de dinero y tiempo que dedicamos a mejorar nuestra complexión, especialmente en los productos de base y fondo de maquillaje. Las mujeres de todas las edades tienen ahora una mejor apariencia y se sienten mejor que nunca, y esta confianza adicional no viene únicamente del maquillaje para los ojos o para los labios, sino de saber que ¡su piel resplandece y tiene una apariencia saludable!

Sombreados

El conseguir el color adecuado es la faceta más importante al comprar una nueva base o o fondo de maquillaje. Intenta probar con tres colores; uno que crees que es el correcto, otro de tono más oscuro y otro de un tono más claro. La mejor elección será el color que no puedes ver. Algunas empresas de cosméticos mezclan un tono de fondo de maquillaje individual a un precio razonable. Merece realmente la pena esta inversión ya que tenemos todo tipo de tonos, ¡y no solo uno de entre cuatro o cinco posibilidades!

No supongas nunca que perteneces a determinado grupo de color por tu proveniencia étnica; es posible que no tengas el mismo color que ninguna otra persona del mundo, por lo que ¡no debes conformarte nunca con el color más cercano!

La mayoría de los fondos de maquillaje vienen en varios colores, pero todos tienden a ser, o bien:

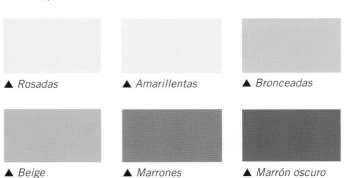

▲ *Rosadas*　　▲ *Amarillentas*　　▲ *Bronceadas*

▲ *Beige*　　▲ *Marrones*　　▲ *Marrón oscuro*

Para elegir el color que más se adecua a ti, mírate la piel sin maquillaje e intenta identificar qué color de los que te han mostrado se parece más al de tu piel. Una vez que has determinado el más próximo, intenta encontrar una base de este color para lograr la mejor cobertura.

El manto ácido de la piel puede cambiar la apariencia de los fondos de maquillaje más baratas por lo que, si compruebas el tono de la base, puedes prevenir cambios de tono notables a lo largo del día. Siempre debes probar el fondo de maquillaje con luz natural, ya que es la que muestra la representación más veraz posible, y siempre debes probar el color del fondo de maquillaje sobre la línea de la mandíbula para garantizar un ajuste perfecto.

Bases

Durante muchos años se han utilizado bases para matizar y neutralizar áreas como los labios y los ojos antes de aplicar el maquillaje. Las artistas del maquillaje ponen una capa de prebases en la mayor parte de la cara, especialmente si están trabajando con luces calientes o en entornos de aire acondicionado, ya que estos cambios de temperatura afectan en gran medida a la piel y a la aplicación del maquillaje. Ni siquiera se dejan fuera las cejas, pero es mejor una base en gel, ya que la crema se pegará y creará pegotes en el vello facial, incluso cuando es transparente.

BASE DE OJOS

Lo mejor de la base de ojos es que consigue evitar casi por completo que se corra la sombra de ojos durante el día, lo que implica un resultado más duradero del maquillaje de ojos. La base de ojos se aplica sobre el párpado hasta la ceja, de forma que proporciona un lienzo perfecto para todo el maquillaje, incluyendo el lápiz de ojos y todas las texturas de sombras,

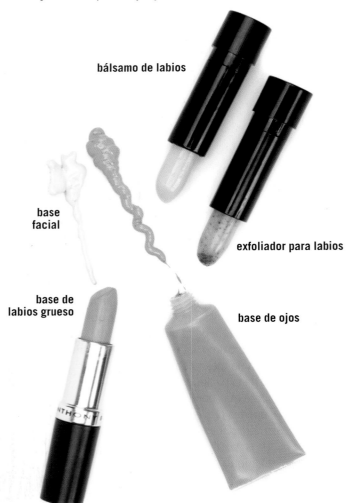

bálsamo de labios

base facial

exfoliador para labios

base de labios grueso

base de ojos

especialmente las de color crema. A menudo, la base permite también una mejor mezcla, ya que la piel está mate y permite unos movimientos del pincel más fáciles.

BASE DE LABIOS

Este tubo de brillo permite que cualquiera pueda lograr un acabado totalmente mate en los labios antes de aplicar el delineador. La base de labios se aplica sobre todo el labio y justo por encima del borde, eliminando el riesgo de que se corra el pintalabios a la piel circundante, además de incrementar la potencia de agarre del carmín. Con frecuencia, la aplicación de brillo puede destruir el color del labio, ya que el aceite añadido fomenta que incluso la mejor aplicación de carmín se corra y se embadurne. La base bloquea esta reacción y el poco tiempo necesario para aplicarlo añade horas de efectos duraderos del lápiz de labios.

BASE FACIAL

Este pequeño milagro es precisamente el tratamiento que requiere cualquiera que tenga una piel con distintas texturas o pigmentaciones. Normalmente tiene la consistencia de una crema, se aplica antes del maquillaje con los dedos y se seca de inmediato con un acabado mate encima de la crema hidratante. Difumina el fondo de maquillaje sobre esta base y observa la diferencia del poder de mezcla y la forma en que queda el color sobre la piel: el lienzo es mucho más homogéneo y más fácil de contornear. La base permite también que el fondo de maquillaje dure más tiempo, por lo que ¡es imprescindible en las noches de calor!

cómo...

APLICAR FONDO DE MAQUILLAJE

Una aplicación correcta de fondo de maquillaje es la esencia de un maquillaje bueno o malo. Debe ser homogéneo, suave y estar bien difuminado en la línea del pelo y del cuello. Asegúrate de limpiar, tonificar e hidratar totalmente la piel antes de aplicar ningún fondo de maquillaje.

① Las cremas, cremas hidratantes teñidas, los fondos de maquillaje de barra y de mousse se aplican mejor con los dedos para suavizar la distribución de estos productos. Los fondos de maquillaje en polvo, compactos, líquidos y de larga duración se aplican mejor con una esponja, pues será necesario manipularlos sin el calor adicional de tus dedos.

② Aumenta paulatinamente la cobertura hasta que estés satisfecha, cubriendo cualquier área oscura bajo los ojos y en torno a la nariz con un corrector de un tono ligeramente más claro.

③ Trabaja en torno a la cara hacia la zona T. Con frecuencia, esta zona requerirá un poco más de fondo de maquillaje, por lo que debes dejarla para el final y poner más producto si es necesario. Siempre debes cubrir los párpados y los labios con una base, ya que ello ayuda a crear un soporte excelente para la sombra de ojos y el pintalabios.

④ El resultado final debe combinarse de forma invisible con el cuello, la línea de la mandíbula y la línea del pelo. Si no lo haces, sigue trabajando hasta que obtengas el resultado que deseas. Si el fondo de maquillaje se agrieta o espesa, pon un poco de crema hidratante en la cara y empieza a difuminar de nuevo.

Corrector

Sorprendentemente, la mayoría de los correctores coloreados de la piel funcionan mejor cuando se aplican sobre el fondo de maquillaje. Puesto que tienen una base de cera, hay que calentarlos para aplicarlos a la piel y, si se reparten demasiado, serán ineficaces.

Los correctores de tonos amarillos y melocotón reflectores de la piel son mejores para cubrir una pigmentación desigual. Los correctores que se ajustan al tono de tu piel, o ligeramente más oscuros, son los mejores para las espinillas y las pecas. Siempre debes elegir un correector con un tono más claro que el de tu piel cuando cubres las áreas más oscuras, como debajo de los ojos, ya que esto ayudará a detraer la atención hacia las áreas problemáticas.

Correctores del color

Estos productos coloreados se utilizan para igualar el color de la cara. Con frecuencia, no se puede conseguir utilizando únicamente fondo de maquillaje.

El **corrector verde** cubre el enrojecimiento, pero es mejor aplicarlo en áreas pequeñas con color intenso más que en áreas amplias. Los capilares rotos de la zona de la mejilla se cubren mejor con un corrector verde aplicado bajo fondo de maquillaje.

Los correctores **con base azul** suavizan y aclaran las áreas rojas más grandes de las mejillas y la barbilla. Utiliza un poco antes de aplicar la fundación y trabaja con suavidad para cubrir sin quitar el producto.

Los **correctores blancos** aclaran e iluminan las pieles cetrinas que no tienen un color homogéneo. Se utilizan bajo el fondo de maquillaje para igualar una piel desigual y cetrina. Los correctores claros también son estupendos para suavizar las ojeras y reducir los ojos de apariencia cansada.

El **morado** contrasta con los tipos de pieles amarillentas o cetrinas, añadiendo brillo y resplandor a estos colores de piel. Apliqca bajo el fondo de maquillaje para igualar las manchas de pigmentación difíciles.

COSMÉTICOS AL DESCUBIERTO

Los productos de maquillaje y los correctores contienen "amortiguadores". Se trata de productos que impiden que cambie el color del fondo de maquillaje a lo largo del día. Los ácidos segregados por la piel pueden cambiar los pigmentos del color, pero estos potentes amortiguadores evitan que ocurra en la mayoría de los maquillajes modernos. Las ceras, aceites y emulsionantes se mezclan creando la base de todos los tipos de maquillaje, solo que se combinan en distintas cantidades. La mayoría de las empresas de cosmética añaden vitaminas, perfumes e ingredientes especiales para ayudar a comercializar sus productos. Sin embargo, si se produce una reacción alérgica, puede muy bien deberse al conservante del producto, por lo que debes probar una base más natural.

trucos del profesional

RECUBRA

- Corrige con color las áreas que tienes que cubrir, y después pon el fondo de maquillaje en la cara. Utiliza corrector bajo los ojos, en torno a las fosas nasales y en la barbilla.

- No utilices el corrector de cualquier manera, ya que una mancha blanca bajo los ojos ¡es aún más vistosa que una ojera!

- Las esponjas de maquillaje tienen distintas formas y tamaños, pero la clásica en cuña te permite meterte en recovecos a los que no llegan otras.

- Un pincel fino con punta redondeada es excelente para cubrir las impurezas y parches de la piel con precisión extrema en la punta de los dedos.

cómo...

APLICAR EL CORRECTOR

Los correctores pueden ser barras, lápices de extracción a presión, paletas, líquidos y de aplicación con pincel. A menudo, los más cómodos e higiénicos son los lápices de extracción, pero debes trabajar con la cobertura que necesitas, y no con un paquete con distintos tonos, ¡por mucho que quieras comprar el más bonito!

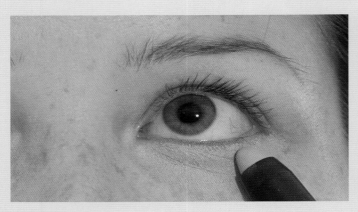

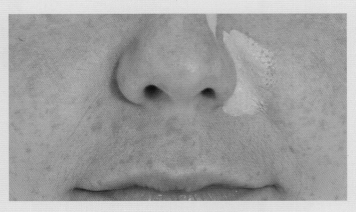

① Aplica un corrector con un color claro bajo el ojo, justo debajo del área problemática. Esto elimina la sensación de decoloración y se mezclará con el fondo de maquillaje cubriendo de forma natural sin que se corra por las líneas de expresión y las arrugas.

② Utiliza un pincel para aplicar un producto ligeramente reflector de la piel a la zona de la nariz para reducir el color oscuro y ocultar los capilares rotos. A menudo, tus dedos serán útiles para ayudar a difuminar o afinar las sustancias con base de cera para aplicarlo con más facilidad.

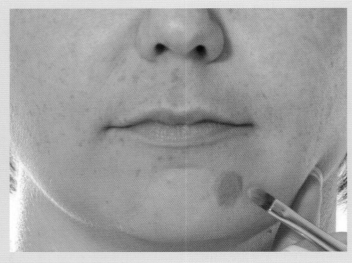

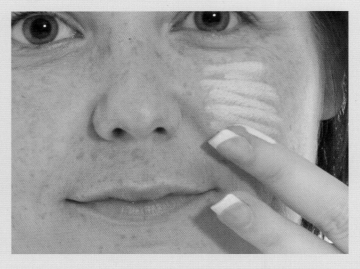

③ Elige un corrector ligeramente más oscuro para las espinillas ya que el rojo de las mismas se transparentaría con un maquillaje normal. Un pincel o un bastoncillo de algodón son útiles para aplicarlo y, si es necesario, fusiónalo con los dedos. Aplica el fondo de maquillaje por encima para lograr una cobertura adicional. Prueba un corrector con árbol del té o ácido salicílico para ayudar a tratar la espinilla, además de cubrirla.

④ Un poco de corrector verde aplicado con los dedos es útil aquí para cubrir rojeces. Sigue con un color natural para el fondo de maquillaje, preferentemente de un tono más claro, para abrillantar la zona y detraer la atención del rojo.

Polvos

El toque final de polvo se aplica al final para fijar el fondo de maquillaje y el corrector. Solo debes utilizar polvos en el último minuto ya que si aplicas cualquier producto con un alto contenido de agua, como más maquillaje líquido o corrector líquido, sobre el polvo, ¡tienes la receta perfecta para un potingue!

Elige unos polvos translúcidos ya que lo último que necesitas es otra capa más de color. Estos polvos incoloros fijarán la base pero no alterarán el color que hayas puesto en la cara.

Los mejores polvos están molidos al máximo y tienen una textura excepcionalmente fina. Evita utilizar un polvo que tenga destellos ya que podrá terminar dando la apariencia ¡de estar sudando!

Cuando apliques los polvos sacude el exceso del pincel y, empezando por arriba, trabaja hacia abajo para evitar crear pegotes en el vello facial. El pincel también evitará que se absorba el polvo demasiado deprisa dejando un color desigual.

COSMÉTICOS AL DESCUBIERTO

Los productos en polvo casi siempre contienen talco, caolín y magnesio para reducir el brillo y dar un acabado adhesivo al maquillaje. El cinc y el titanio dan al polvo su poder de cobertura, y el talco permite dar un acabado mate. Se añaden pigmentos para aumentar el contenido de color de los polvos y para que combinen con los distintos colores de la piel.

Contorno de la cara

Siempre hay algo de nuestra cara que quisiéramos poder cambiar. Una nariz un poco torcida, o ¡una barbilla prominente! Hay una forma de aumentar o reducir los rasgos utilizando maquillajes y correctores. Las famosas son conocidas por aumentar su escote utilizando maquillaje y por crear una línea del mentón más prominente o resaltar los pómulos. Para destacar, utiliza un corrector o un polvo de un color más claro y para ocultar emplea un tono ligeramente más oscuro que el del color de tu piel.

Contorno básico de la cara

Todas tenemos un determinado contorno básico de la cara que viene dado por la estructura de nuestros huesos; sin embargo, es bueno que podamos distraer la vista a determinadas partes de la cara. El dibujo del contorno de la cara para alterar la forma se consigue con la aplicación de colores que ensombrecen o destacan fomentando más una apariencia ovalada, que es la forma más halagadora.

CORRECCIÓN DE LA FORMA DE LA CARA CON EL CONTORNO

Recuerda, cuando quieres acentuar un área, destácala con un color más pálido; si quieres ocultarla o hacerla parecer más profunda, ¡oscurécela! Siempre tienes que empezar con el producto mínimo: la clave del dibujo del contorno facial es ser sutil y difuminar, difuminar y difuminar, de forma que crees el efecto del contorno sin que sea evidente.

Cara cuadrada Caracterizada por una sólida línea maxilar con pómulos apenas perceptibles, se dibuja el contorno de esta forma cuadrada de la cara añadiendo un poco de sombra a cada lado de la mandíbula, rompiendo su apariencia sólida y plana. Al sombrear el lado externo superior de la frente se reduce también la prominencia de esta zona. Para crear una línea más definida del pómulo, destaca por encima del mismo y aplica colorete por debajo. Esto eleva y acentúa el área que falta del pómulo en una cara cuadrada.

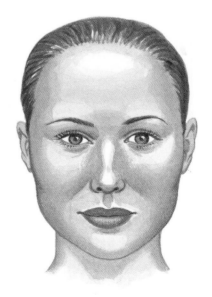

Cara larga Una cara larga ofrece pocos rasgos útiles para utilizar con el maquillaje, por lo que debes crearlos poniendo sombra a lo largo de la línea del cabello y la quijada para reducir la longitud de la cara. A continuación debes resaltar y colorear la parte superior del pómulo, teniendo cuidado de no adentrarte en la línea del pelo o demasiado abajo en la cara.

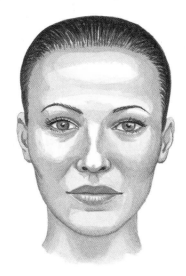

Cara ovalada Es la forma de cara que ¡la mayoría de las artistas del maquillaje intenta recrear! Esta forma ofrece la estructura y angulosidad exactas para aplicar realmente bien el maquillaje y sacar el máximo provecho de la cara.

Cara con forma de corazón Esta forma de la cara tiende a tener una frente demasiado ancha, por lo que para reducirla debes sombrear con un fondo de maquillaje o un corrector más oscuro en los lados de la cara justo encima de las cejas. También debes sombrear la punta de la barbilla ya que puede tener una apariencia puntiaguda y el sombreado tendrá un efecto suavizante. Aclara por encima de los pómulos y pon un tono más oscuro por debajo. En algunas caras con forma de corazón, un poco de colorete en los pómulos puede dar una apariencia muy natural al tiempo que reduce la anchura de la cara

Cara redonda Con esta forma de cara las mejillas suelen parecer muy rellenas ocultando los pómulos. Esto suprime todos los ángulos naturales de la cara, por lo que hay que volverlos a introducir poniendo sencillamente sombra bajo los pómulos y colorete bajo las mejillas también, al tiempo que aplica un tono más claro sobre la zona superior del pómulo para crear una falsa estructura de hueso. Un tono claro en la punta de la barbilla también ayuda a dar una forma más angular al mentón.

ojos

ojos

El maquillaje de ojos puede ser el más difícil de dominar, pero el que más recompensa. La primera impresión vital se hace con los ojos, pues son el espejo del alma. Las modas del maquillaje pueden dictar lo que deberías ponerte, pero lo mejor será seguir lo que te dictan tus ojos. Después de jugar con lo que mejor te va, podrás parecer cada vez más atrevida pero, si estás encantada con tu propio estilo, ¡llévalo con orgullo y glamour!

Es esencial tener una buena base con la que trabajar y el seguir unas pocas líneas directrices para revitalizar el ojo puede ayudar a reducir las bolsas y las ojeras, además de abrillantar los ojos, dándoles una apariencia fresca y restaurada.

Ojos brillantes

El pepino y las bolsas de té frío son buenos reconfortantes del ojo, no por sus ingredientes sino, sencillamente, ¡porque están fríos! La piel que rodea los ojos es diez veces más fina que en ninguna otra parte de la cara, por lo que el envejecimiento y la sequedad afectan más a esta área. Los productos fríos dan una sensación fresca y relajada a los ojos, y además despiertan.

Los geles para ojos, o las máscaras o paquetes para ojos tienen el mismo efecto, pero los ingredientes añadidos, como la lavanda, el ginseng y el té verde también constituirán un tratamiento superficial para la delicada piel del contorno del ojo, con un efecto revitalizador que reaviva y abre el ojo. Los productos para refrescar los ojos también son estupendos para reducir las bolsas y el cansancio en torno a los ojos.

Drenaje

La linfa es una sustancia que circula bajo la piel y es responsable de eliminar desechos como toxinas, bacterias y radicales libres del cuerpo. Para estimular el drenaje de estas toxinas, que pueden provocar ojeras y bolsas, sólo tienes que añadir unos pocos movimientos a tu rutina facial haciendo círculos en torno a los ojos y terminando cerca del lóbulo de la oreja donde hay un nódulo que acelera la descarga de las toxinas del cuerpo (*véase* la página 48).

¡Ay con el ojo!

Es fácil lograr que los ojos parezcan más brillantes y grandes sin utilizar maquillaje. ¡Y no hace falta llegar al extremo de

tatuarse o utilizar un maquillaje semipermanente! Hay formas de acentuar los ojos temporalmente que se pueden hacer de forma habitual y puesto que no afectan a tu apariencia natural ¡tendrán el mismo aspecto maravilloso con o sin maquillaje!

Forma de las cejas La creación de un arco dará la impresión de un ojo más firme que parece más ancho y largo. Sólo tienes que depilar el vello excesivo bajo la ceja natural dejando realmente limpia y aseada la zona del ojo.

Las **extensiones de las pestañas, individuales o en tiras,** marcan una importante diferencia, especialmente cuando se aplican sobre las pestañas superiores externas, añadiendo profundidad, amplitud y 1ongitud a los ojos pequeños o redondos.

El rizado permanente de las pestañas abre el ojo y permite revelar más el iris, lo que da una estupenda apariencia y potencia el color de la cara.

El teñido de las pestañas y las cejas da profundidad al área del ojo, lo que marca una inmensa diferencia de la apariencia general de los ojos sin necesidad de maquillaje. Da la sensación de llevar máscara sin hacerlo realmente.

El **Botox** ayuda a reducir las arrugas y líneas de expresión alrededor de los ojos. Así que, aunque pueden tener una apariencia más joven, los músculos paralizados del contorno de los ojos no podrán mostrar expresiones. La expresión es una forma de emoción visible, por lo que tienes que tener cuidado porque el exceso de uso de estos productos puede erradicar la belleza natural de tus emociones.

Crea textura

Las sombras de ojos vienen en muchos tonos y texturas maravillosas y han sido desarrolladas por las empresas de cosméticos para luchar contra los problemas de aplicación que se han encontrado en el pasado. Puede ser difícil aplicarlas pero, con los productos y herramientas adecuadas, es un arte que se domina fácilmente. Independientemente de la edad o el tipo de ojo que tengas, prueba todas las formulaciones que puedas ya que, con frecuencia, funciona más de una, pero las distintas apariencias te ayudarán a decidir cuáles tienes que utilizar para cada ocasión concreta.

SOMBRAS EN POLVO PARA LOS OJOS

Suelen venir en mate o brillante. El mate vale para todos los ojos, pero ten en cuenta que el brillo acentúa los ojos, por lo que puede ser demasiado potente para los ojos maduros o con muchas líneas. Las sombras de ojos suelen ser las más fáciles de aplicar y las que mejor se mezclan. Las sombras de hoy en día están fabricadas en enormes secadores de aire donde se agitan las partículas de color durante horas, mezcladas con partículas de aire, haciéndolas extremadamente finas y parecidas al polvo. Son las mejores ya que el color es intenso y se aplica como si fuera seda.

Evidentemente, necesitarás menos polvo cuando la intensidad del color es elevada, lo que reduce el riesgo de que el color se acumule en las arrugas del párpado a lo largo del día.

Los colores en polvo pueden ser drásticos, pero empieza con un tono pálido y añade color y profundidad al ojo de forma paulatina utilizando un pincel de sable. La aplicación de sombra en polvo bajo el ojo da esa excelente apariencia nocturna sensual y sinuosa. Utiliza poca cantidad y fusiónala para lograr una apariencia increíble. Y, no te preocupes: puede ser engorroso, pero lograrás una apariencia sensacional.

CREMAS Y SOMBRAS DE OJOS

Son fáciles de aplicar, pero pueden ser pegajosas y engorrosas cuando hace calor. También es difícil difuminarlas con un pincel. No apliques nunca demasiado, ya que los productos en gel o crema se meten en las líneas del párpado, ¡avejentando antes de tiempo!!

Los resaltadores en crema suelen ser los mejores, ya que contienen nácar y destellos para reflejar realmente la luz y abrir un área de oscuridad, como bajo las cejas. Recuerda que las cremas y geles crean una apariencia más suave y juvenil al tiempo que potencian sutilmente el brillo.

Las sombras de ojos en crema pueden dar una apariencia impecable y natural también, y con frecuencia el maquillaje de bodas se realiza mejor con esta base. La sombra en crema se aplica mejor poco a poco, con un pincel, especialmente cuando se utilizan colores oscuros. A menudo es mejor utilizar un pincel más grueso para los colores más claros, ya que depositará el color sobre el párpado mucho más deprisa. Un buen truco, si tienes que difuminar la sombra en crema, consiste en mojar el pincel con un poco de polvo translúcido, ya que ello te permitirá difuminar ¡sin tener que añadir más color del deseado!

Las sombras de ojos en gel se utilizan mejor solas, y solo en los ojos más jóvenes. Normalmente habrá poco color, pero un gran acabado brillante que es virtualmente imposible con cualquier otro tipo de producto de sombra.

Sombras en lápiz

Si son lápices suficientemente blandos, pueden ofrecer una gran definición al párpado inferior y superior. Se difuminan bien, y no suelen requerir más herramientas para ponerlas, por lo que son excelentes para llevar en una bolsa de maquillaje de trabajo.

Las sombras en lápiz son la herramienta de precisión por excelencia para definir las sombras. Lo mejor es utilizarlas en áreas pequeñas para poner una línea más oscura o más clara. Incluso lo que parecen colores chillones dan una apariencia fantástica en pequeñas cantidades, por lo que debes experimentar con el lápiz y ¡descubrir si eres suficientemente valiente para ponértelo en todo el párpado!

Los colores tienen mejor apariencia sobre un lienzo pálido, por lo que debes utilizar sombra en polvo como base y después

utilizar los lápices de sombras para crear definición y dar forma a los ojos. Utilízalos bajo el párpado inferior y en las líneas internas del párpado con un resultado drásticamente bello.

Con cualquier consistencia de la sombra de ojos el color se puede acumular en las arrugas del párpado a medida que transcurre el día. Si ocurre esto, utiliza un pincel para volver a esparcir y asegúrate de no aplicar demasiado producto ya que esto ralentizará el proceso de fusión.

Correctores de ojos

El cambiar la forma de los ojos puede cambiar totalmente tu apariencia, por lo que si identificas correctamente la forma de tus ojos puedes abrirte más opciones de colores y sombras. Intenta complementar la forma de tus ojos siendo sutil en tus cambios, ya que un cambio drástico podría resultar demasiado evidente. Quítate el maquillaje e identifica el tipo de ojos que tienes.

CÓMO CORREGIR LA FORMA DEL OJO

Los **ojos hundidos** son los que tienen una gran cuenca. Potencia la apariencia de estos ojos aplicando un color claro por encima de la cuenca y un color (no demasiado oscuro) en la cuenca difuminándolo hasta la línea de la ceja. Un delineador líquido en el párpado superior da una apariencia excelente si se extiende ligeramente en el extremo externo, junto con pinceladas de máscara en las pestañas superiores e inferiores.

Los **ojos pequeños** se exageran aplicando grises y marrones a la cuenca de los ojos, y empolvando sombra de ojos también sobre el párpado inferior. El blanco sobre el borde del párpado inferior agrandará las pupilas y el resaltador bajo la parte externa de la ceja profundizará los ojos. Se aplica con facilidad, y hasta las que lleven lentillas podrán aplicar cómodamente el lápiz aquí.

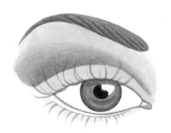 

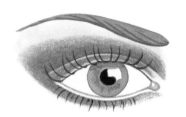 

Los **ojos redondos** necesitan que se les dé longitud, por lo que sólo debes aplicar color a la zona del párpado y difuminar hacia arriba y el exterior hacia la punta externa de la ceja. Resalta el extremo externo de la ceja con una sombra más pálida. Aplica delineador de ojos solo en la parte superior de los párpados y exagera la línea sobrepasando el párpado. La máscara en las pestañas superiores queda estupenda, junto con un poco de cobertura en las pestañas inferiores.

Los **ojos largos** son preciosos cuando la ceja está arqueada y se aplica una sombra luminosa bajo la ceja. Utiliza un color más oscuro para alinear únicamente la cuenca, y difumina hacia arriba. Resalta las pestañas aplicando máscara superior e inferior, y un lápiz delineador al párpado inferior que acaba justamente donde acaba el extremo del ojo.

Color

La elección de los colores puede ser todo un reto, pero opta por un conjunto de colores que se ajuste al tono de tu piel, lo que siempre complementará tus rasgos. Hoy en día la mayoría de las sombras de ojos se venden en paquetes de dos y tres, por lo que puedes encontrar colores que combinan bien.

La **piel clara** siempre tiene una apariencia más natural con marrones, beiges, verdes, melocotones y cremas, pero también le van bien los rojos y el color ciruela.

La **piel aceitunada** tiene una apariencia excelente con casi todos los colores, porque hay calidez en el color de la piel para contrarrestar los colores brillantes. Para una apariencia natural funcionan realmente bien los cobres, dorados, naranjas, cremas, morados, rojos, bronces y chocolates.

Las **pieles color caramelo** pueden tener una apariencia divina en una serie de colores vibrantes pero, para lograr una apariencia más natural, prueba con rosas, melocotones, avellanas, ciruelas, grises, cremas y dorados.

Las **pieles de color chocolate y café** pueden aguantar realmente colores fuertes como morados, rojos, azules marinos, bronces, dorados, negros y grises pero, de nuevo, para lograr un acabado natural, prueba con marfiles, cobres, bronces, naranjas y marrones.

Delineador de ojos

Hace miles de años que se utiliza el delineador de ojos. Incluso Cleopatra hacía que sus ojos parecieran más grandes utilizando un toque de color en torno a ellos. En la India se enseña a los niños cómo utilizar el delineador de ojos desde una edad muy temprana, ya que enmarca la cara y potencia enseguida cualquier rasgo.

LÁPICES DE OJOS

Un buen lápiz de ojos es una excelente inversión. Debe ser suave y fácil de aplicar; los peores lápices son aquellos con los que hay que apretar, porque hacen que los ojos lloren y los sensibilizan. Los grises, marrones y colores ciruelas son los mejores para las pieles claras a aceitunadas pero, si quieres asegurarte, recurre siempre al negro.

DELINEADORES LÍQUIDOS

Los delineadores líquidos vienen en muchas formas, desde finos pinceles hasta en forma compacta. Por cuestiones de higiene, algunas artistas del maquillaje recurren a los delineadores compactos, ya que son más fáciles de limpiar. Los dos tipos funcionan bien para crear una imponente línea oscura que proporciona el máximo impacto, de día o de noche.

cómo...

APLICAR DELINEADOR DE OJOS

Un lápiz blando es la mejor y más drástica herramienta para agrandar el área del ojo, y se puede manipular para crear un efecto de sombra en crema o una sólida línea negra. Elige la apariencia que desees y perfecciona tu técnica.

① Aplica el lápiz delineador de ojos estirando los ojos para suavizar cualquier arruga que podría dificultar una aplicación de una línea homogénea. No te preocupes si te tiembla la mano; podrás difuminar esta línea para suavizar cualquier temblor.

② Utilizando una esponja difuminadora, fusiona el delineador hacia el borde externo de los ojos. Si te gusta cómo queda el delineador dentro de los ojos, aplícalo a los bordes de los párpados superior e inferior para lograr ¡una apariencia súper sensual! Ten en cuenta que ello reducirá el tamaño general del ojo por lo que, si tienes ojos pequeños o redondos, esta línea interna no mejora la forma natural de tu ojo.

APLICAR DELINEADOR LÍQUIDO

¡El delineador líquido es el delineador de las chicas malas! Es difícil aplicarlo pero, una vez que se consigue, tiene el efecto más potente de todo maquillaje de noche. Los delineadores líquidos vienen en muchos colores pero, con frecuencia, el negro es la mejor opción.

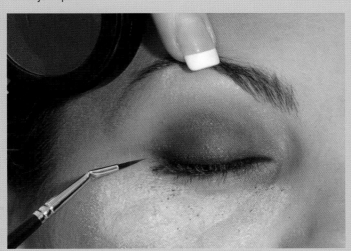

① Estira ligeramente el ojo para eliminar arrugas y líneas. La mejor forma de acabar la línea consiste en relajar el ojo y, con una mano firme, aplicar una segunda capa a los párpados. El delineador líquido siempre queda mejor encima de los párpados. Si con la presión te tiembla la mano, empieza primero con un lápiz de ojos y trabaja por encima con el delineador líquido o, sencillamente, dibuja una serie de puntos sobre el párpado y después únelos mezclándolos.

Máscara

Éste es el producto de maquillaje que prefiere mi hermana, y que se pone con un espesor increíble pero, ¡da una apariencia estupenda! No es el estilo que prefieren todas, pero ¡la diversidad de máscaras puede ser realmente sorprendente!

Las pestañas finas y ligeras que son largas y oscuras solo suelen encontrarse ¡en los hombres o los camellos! Así que, con frecuencia, tenemos que crear esta apariencia deseada con la ayuda de máscara y pestañas falsas.

rizadores de pestañas

COSMÉTICOS AL DESCUBIERTO

Las máscaras líquidas suelen tener una base de agua, lo que significa que es fácil quitarlas. La cera de abeja, reforzada con fibras de nailon, ayuda a alargar las pestañas. Los polímeros y las resinas evitan los pegotes y hacen que el producto sea resistente al agua. Los aceites vegetales permiten que se aplique la máscara fácilmente, y que recubra las pestañas para acondicionarlas y evitar que se corra el producto.

pinzas calientes

La máscara siempre queda mejor en pestañas rizadas por lo que la utilización de rizadores o pinzas calientes antes de aplicarla mejorará la apariencia de las pestañas.

Utiliza los rizadores sobre unas pestañas limpias y presiona ligeramente cuando estén sobre la base de las pestañas durante unos quince segundos. Esto permite desarrollar el mejor rizo. Recuerda que tienes que soltarlo antes de tirar hacia afuera o, de lo contrario, ¡depilarás esas preciosas pestañas! Los rizadores calientes pueden ser útiles, pero tienden a no dar una definición tan buena del rizo.

Si te gusta esta apariencia, sólo tienes que fijar las pestañas con una máscara ligera. Si lo que quieres es volumen, utiliza la máscara para añadir longitud y profundidad a las pestañas.

PESTAÑAS ENVIDIABLES

Las máscaras modernas contienen silicona para alargar la longitud natural de las pestañas, aunque puedes comprar extensiones como fibras y productos alargadores blancos que ayudan a crear una longitud sensual. La apariencia es sobresaliente, pero ten cuidado con estos productos ya que pueden debilitar las pestañas con el paso de las horas y terminarás con pestañas rotas que serán más cortas ¡y con una apariencia bochornosa!

PARA UTILIZAR MÁSCARA

- No parpadees cuando apliques la máscara; aumentará la probabilidad de crear pegotes.

- Evita los movimientos rápidos cuando apliques la máscara ya que esto facilita que las pestañas se peguen entre sí. Tómate tu tiempo y aplícala despacio, y descubrirás que la definición mejora mucho.

- Retira los pegotes de máscara con un cepillo de pestañas y un bastoncillo de algodón para las salpicaduras.

- Intenta no estornudar cuando apliques la máscara, ¡aunque los resultados son muy interesantes!

- Evita bombear demasiado el aplicador dentro del tubo de máscara ya que esto atrapa el aire en el producto y lo seca.

Aplica la máscara en capas finas para lograr una apariencia suelta. Utiliza un color que complemente al de tus ojos y un aplicador que añada volumen a tus pestañas.

Abriéndose camino de vuelta al moderno mundo del maquillaje, la máscara de tarro puede crear una apariencia excelente pero será pesada y puede ser poco higiénica. Hoy en día, utilizamos agua para humidificar el bloque, pero en la década de los sesenta ¡se utilizaba la saliva!

Si tienes un pelo muy fino, esta apariencia pesada será potente y drástica pero si ésta es la apariencia que buscas, entonces ¡la máscara de tarro o cajita es el único producto válido para ti!

¡Falsificando la evidencia!

Las extensiones de pestañas se venden con muchas formas y tamaños, y se ha añadido el negro tradicional a los colores vivos, plateados ¡e incluso con flores! Para una apariencia natural, riza las pestañas y aplica un pegamento de pestañas individuales o en tiras a la base del párpado. Para una apariencia más vampiresa, prueba con algo distinto, como pestañas de plumas y ¡un montón de sombra de ojos brillante!

cómo...

CREAR OJOS PARA EL DÍA

Para el día a día, los ojos pueden ser sutiles y naturales al tiempo que pueden seguir siendo deslumbrantes. Se pueden utilizar diversos colores pero, si combinas el color de las sombras con el de tu ropa y accesorios complementarás toda tu apariencia.

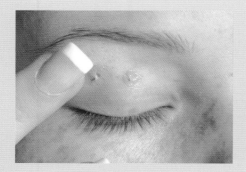

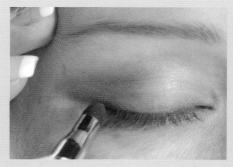

① Tras aplicar maquillaje a las cuencas para mejorar la adhesión de la sombra de ojos, aplica una base ligera sobre la cuenca hasta la ceja, y después riza las pestañas.

② Con un pincel o una esponja pon un color más oscuro sobre la línea de la cuenca y mezcla. Aplica el delineador de ojos a los extremos superiores externos de los párpados y extiendelo con una esponja.

③ Aplica una gruesa capa de máscara a las pestañas superiores y una capa más ligera a las inferiores. Acaba con un colorete claro y labios neutros para crear una apariencia diurna.

CREAR OJOS PARA LA NOCHE

¡La vida empieza cuando acaba el trabajo! Por la noche vale cualquier tipo de maquillaje pero recuerda únicamente que tienes que poner un poco más que durante el día ¡para lograr el impacto que deseas cuando cae la noche y se bajan las luces!

① Utiliza una base blanca muy ligera o un color pálido sobre el párpado. Resalta la ceja superior externa hasta el arco. Aplica un color más oscuro a la cuenca y mezcla sobre el párpado hasta las pestañas.

② Aplica delineador liquido a los párpados superiores y alarga la línea justo hasta pasado el extremo externo de los párpados.

③ Aplica lápiz delineador a los párpados inferiores y al interior. Mezcla para lograr un acabado suave. Aplica mascara a las pestañas superiores e inferiores, poniendo un poco más en las superiores para abrir el ojo, o pon pestañas postizas para lograr un efecto más potente. Un color drástico en las pestañas, con mucho brillo o purpurina dará un acabado perfecto a esta apariencia.

cómo...

CREAR OJOS PARA FIESTA

El brillo, la purpurina y los destellos son la forma de ir de fiesta, por lo que puedes adquirir estas sombras en cualquier color tras aplicar la base de maquillaje habitual.

① Dibuja con delineador de color o un gris humeante, o con color ciruela, a lo largo de las pestañas superiores e inferiores para profundizar el efecto de su apariencia general.

② Para un efecto realmente drástico, aplica una gruesa línea de delineador líquido oscuro sobre la línea de los párpados.

③ Aplica pinceladas de mascara de forma similar a los ojos para noche, ¡pero aumenta la apariencia de vampiresa con pestañas postizas para deslumbrar!

¡Contacto!

Con la moderna innovación en lentes de contacto, puedes hacer que tus ojos destaquen realmente ¡necesites gafas o no! Ya han pasado los días en que se ponían gotas de tintes alimenticios en las lentillas antes de ponérselas, ya que hoy en día hay toda una novedosa gama de colores y diseños entre los que elegir. Algunos colores pueden tener una apariencia de locura, pero son divertidos y, si lo que buscas es que te presten atención, ¡a por esas lentillas!

Recuerda que debes combinar el color de las lentillas con la ropa, y siempre debes limpiarlas exhaustivamente si quieres volverlas a utilizar. Nunca utilices las lentes de contacto de otras personas, pues es la receta perfecta para tener ojos enrojecidos llenos de bacterias.

07 mejillas

mejillas

Se utiliza el colorete para aclarar la apariencia de la cara y dar un aspecto saludable y brillante. El tener unas mejillas naturalmente sonrojadas no es razón para no ponerse colorete; pero el tener la libertad de cubrir el sonrojo natural con maquillaje y después añadir color nos da el control sobre dónde queremos aplicar el color. Es posiblemente el mejor cosmético antienvejecimiento ya que abrillanta la piel cetrina y oculta la sequedad y las imperfecciones.

Cuando la gente te mira, obtiene una percepción instantánea; utilizamos el colorete para asegurarnos de que la primera impresión es una impresión de salud y vitalidad, y no de falta de vida y aburrimiento. La elección del tono del colorete y la sombra que mejor te van puede ser como atravesar un campo de minas. Con tantos disponibles en el mercado, ¿cuál resaltará tu brillo?

Tipos de colorete

Los coloretes modernos vienen en muchas texturas y colores para crear apariencias válidas para todas las ocasiones. Cuanto más claro sea el producto, más sencilla será la apariencia, por lo que para lograr un aspecto natural opta por líquidos, geles y cremas; para una apariencia más definida, la mejor opción son los polvos.

COLORETE EN POLVO

De lejos la elección más popular de colorete, el polvo, se aplica en barridos, desde el centro de la mejilla hacia la oreja, y se incorpora utilizando un movimiento circular para suavizar cualquier borde notable. Todos los tipos de piel son adecuados para el colorete en polvo, pero las pieles secas o grasientas tendrán una apariencia aun mejor con una formulación líquida o en crema.

COLORETE EN CREMA

El colorete en crema es bueno para todos los tipos de piel, especialmente las que requieren poco o ningún maquillaje, ya que puede ser difícil mezclarlo en una piel muy empolvada. Las pieles maduras y secas se beneficiarán de la crema, ya que su consistencia es ideal para no acumularse en las líneas y arrugas. Aplícala al pómulo de las mejillas y difumina hacia fuera con los dedos hacia los lados de la cara. Las cremas suelen dar un acabado brillante y saludable que es exclusivo de este producto y da una apariencia increíblemente natural y sencilla.

COLORETES EN GEL Y LÍQUIDOS

Excelentes para una apariencia de maquillaje natural y para las que llevan poco o ningún maquillaje. Tanto los geles como los líquidos tiñen las mejillas logrando un acabado simple pero colorido. Asegúrate de lavarte los dedos después de difuminar, ya que ¡también los manchan! Intenta que no goteen: lo último que quieres es colorete ¡en tu vestido de noche o en tu barbilla! Las combinaciones de pieles jóvenes grasientas son realmente adecuadas para este tipo de formulaciones ya que son ligeras y fáciles de manipular y difuminar.

Lavado de color

Cuando elijas un color para el tono de tu piel, no te dejes abrumar por la densa pigmentación que ves en el envase. El colorete se utiliza en pocas cantidades, pero se empaqueta para maximizar la cantidad por lo que, con frecuencia, el color que ves en la caja es una versión muy fuerte del efecto que verás en la cara. Empieza evaluando el color de tu piel para ver los tonos que la quedarán de maravilla.

★ Los melocotones y pasteles van bien en pieles claras y aceitunadas, añadiendo un toque de juventud y frescura al rostro

★ Los colores rosados, cerezas y ciruelas claros van realmente bien para la piel bronceada, añadiendo luz, vitalidad y un brillo sano.

★ Los coloretes con un acabado de brillo dorado o ciruela oscuro son fabulosos en pieles de color medio a oscuro ya que refrescan la piel sin miedo a dar una apariencia cetrina que algunos ingredientes del colorete pueden dar.

★ Los tonos bronces y naranjas son excelentes para las pieles más oscuras, ya que dan un maravilloso brillo soleado e iluminan la piel.

Si quieres que tus pómulos resulten más prominentes, el truco más sencillo y el mejor es resaltar la parte superior de los pómulos con un polvo o una crema de un tono más claro que el colorete y después fusionarlo con el mismo. Queda de maravilla en todos los tonos de piel y realmente hace que destaquen las mejillas.

La paleta

Utiliza una esponja o un pincel de colorete que, al apretarlo contra la mejilla, no cubra demasiado. Las cerdas suaves son útiles, y es muy fácil trabajar con un pincel redondeado.

El polvo translúcido es excelente para tenerlo a mano, ya que disminuye un color intenso si aplicas demasiado colorete y también ayuda a eliminar las líneas perceptibles para lograr una fusión homogénea.

COSMÉTICOS AL DESCUBIERTO

Los preparados de colorete suelen estar compuestos por una combinación de minerales como talco, caolín y calcio, que ayudan a lograr un acabado mate y ofrecen adhesión a la piel. Los coloretes que contienen cinc y titanio son perfectos para cubrir las líneas de expresión y la piel arrugada y, debido a su alto contenido mineral, la mayoría de los polvos tienen menos conservantes ya que los peligrosos microbios no pueden vivir en un entorno muy mineralizado y se destruyen al entrar en contacto con el producto.

Besadas por el sol

La mayoría de los coloretes están pigmentados con tonos melocotón, rosa o marrón, y la elección de un color es una cuestión de probar con varios y ver cuál es el que más te gusta. Las pieles más pálidas tienden a ir bien con un colorete rosáceo melocotón, y las pieles más oscuras con un tono bronceado ciruela, pero no hay reglas rápidas ni puras y duras; ¡prueba antes de comprar, y compra lo que te guste!

Los bronceadores son en la actualidad uno de los productos de máximas ventas de las empresas de cosmética y se ofrecen en forma de gel, polvo, crema y líquidos. Sigue las mismas reglas de aplicación que para el colorete, pero ten en cuenta que el bronceador será más visible, por lo que debes empezar con muy poca cantidad e ir aumentando paulatinamente la intensidad.

Las bolas bronceadoras no son más que polvo en forma de pelota por lo que, si te agrada la idea, pruébalas, pero recuerda que tienes que quitarte el exceso o descubrirás que se ha pegado una bola al pincel y, a medida que lo aplicas, ¡terminarás con una gran línea marrón recorriéndote la mejilla! Estos bronceadores suelen incorporar partículas de brillo para dar una apariencia cálida a la piel, por lo que llevarlos en invierno puede dar una apariencia poco natural.

Los bronceadores iridiscentes son ¡la octava maravilla del mundo! Pueden reafirmar una cara y dar un brillo glamoroso muy saludable. Aplica una pequeña cantidad a los pómulos de las mejillas para evitar demasiado brillo en un área ¡que dará una apariencia sudorosa! Evita ponerlos en la frente, barbilla o nariz, ya que estas áreas tienen un brillo natural y no necesitan más ayuda. Si estás buscando un toque hollywoodiense para la noche, pon un poco de bronceador en los huecos de las clavículas y la parte superior del pecho, ya que esto dará la impresión de una sana piel bronceada por el sol.

EMPAPADAS EN BRONCEADOR

 Las **pieles claras a aceitunadas** tienen mejor apariencia en tonos miel/morenos con un ligero brillo.

 Las **pieles muy morenas y más claras** van bien con auténticos tonos bronce añadiendo brillo y calidez.

Las **pieles más oscuras** quedan mejor con tonos de auténtico bronce y brillo dorado.

 Las **pieles muy oscuras** van bien con cobres brillantes y metálicos, bronces oscuros y ciruela, con colorete para añadir tono bajo el bronceador.

cómo...

APLICAR EL COLORETE

El colorete debería tener una apariencia de un brillo saludable y cuanto más lo difumines, mejor quedará. Tómate tu tiempo para hacerlo bien. Asegúrate de que utilizas un pincel para colorete, ya que otros instrumentos, como las bolas de algodón o los espolvoreadores no funcionan, sencillamente, porque el pigmento queda demasiado denso cuando se aplica ¡y parecerá que acaba de correr el maratón!

① ¡Sonríe! Y el área que destaca es el "pómulo" de la mejilla. Aplica aquí un poco de colorete para empezar y después iguala la otra mejilla para lograr la simetría. Si utilizas polvos, recuerda que debes quitar el exceso del pincel para evitar demasiado color inicial.

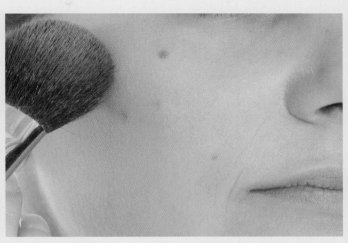

② Difuminar el exceso del producto hacia la oreja desde el centro del ojo. Si estás utilizando un pincel, recuerda quitar el exceso o de lo contrario podrías acabar teniendo sin querer la infame apariencia de la "tía Margarita".

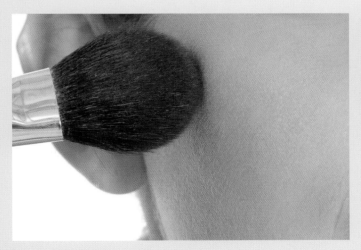

③ Con un pincel limpio difumina el colorete en movimientos circulares hasta que no puedas identificar los bordes del colorete. Acaba dando pinceladas hacia abajo para peinar el vello facial y que yazca suavemente sobre la superficie de la piel.

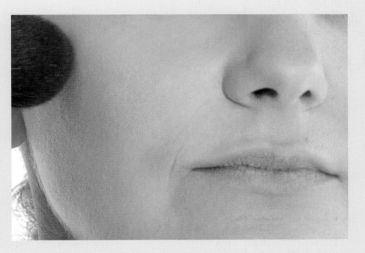

④ Si utilizas un pincel de colorete, aplica un poco de polvo translúcido al resultado final para reducir el color y difuminar aun más el resultado final. La iluminada apariencia lograda da una imagen de calidez interior de las mejillas.

08 labios

labios

Los labios tienen que ser suaves y sensuales para que el carmín pueda hacer realmente su magia. La utilización de bálsamos y brillo ayudará a mantener los labios bien tratados y preparados para la aplicación del cosmético que más se utiliza en el mundo… ¡el carmín!

¡Deliciosos!

Los labios son el rasgo más sexy de la cara y, en cualquier momento de la historia, los iconos de la época tenían un rasgo en común… ¡un morro famoso! Con frecuencia, hay mujeres que están dispuestas a probar otro tipo de sombra de ojos o de colorete, pero ¡se niegan a cambiar el color de su carmín! Con la gran variedad de colores y acabados que existen en la actualidad, ¡es una pena no probarlos todos!

Independientemente de que lleves simplemente brillo natural o un carmín rojo brillante al estilo de Marilyn Monroe, todas las tonalidades pueden valer para todos los tonos de piel si se aplican bien. Es extremadamente divertido jugar con el carmín, ¡porque es muy fácil quitárselo!

Los labios perfectos

Para crear la apariencia perfecta para tí tienes que elegir la textura de la base adecuada para preparar tus labios. Hay tantas disponibles que tendrás que estimar cuáles son las necesidades de tus labios y satisfacerlas con un producto.

Las barras de labios de larga duración pueden secar mucho los labios, aunque puedan durar horas. Algunos tintes de labios pueden permanecer demasiado tiempo ¡y durar más de lo que quieren sus propietarias!

Las barras de labios mates o en crema pueden parecer aburridas en comparación con sus primos de gran brillo pero, debido a esta apariencia más seca, duran más tiempo. Es improbable que provoquen heridas en los labios y es cómodo llevarlos porque no son resbaladizos y son excelentes para un día de trabajo normal.

Las barras de labios brillantes o escarchadas contienen un ingrediente llamado "mica" que da a estos productos su apariencia brillante. Normalmente no hace falta poner brillo encima, pero la duración de estos productos está limitada ¡a una comida o a un beso! Pero, mientras duran, tienen una apariencia sensual y seductora.

El brillo de labios es el producto de acabado por excelencia para cualquier barra de labios: un producto de gran brillo que queda fantástico en cualquier color, ya sea por sí solo o sobre una base de color.

Los tintes de labios suelen ser líquidos y dan una sensación de "teñido". Dan una apariencia de estar a la última con un acabado ligeramente colorido sin pesadez ni brillo.

▲ *Tinte de labios*

▲ *Carmín mate*

▲ *Carmín en crema*

▲ *Carmín escarchado/brillante*

LA FAMILIA DE COLORES

Cualquier barra de labios que compres entrará en una de estas categorías de colores aunque, con frecuencia, lo mejor es una mezcla de varios de ellos.

▲ *Rojo*   ▲ *Naranja*

▲ *Rosa*   ▲ *Marrón*

▲ *Morado*   ▲ *Beige*

e los labios

cen para incumplirlas, por lo que ¡puede seguir a o experimentar con ella!

Las **pieles claras** quedan excelentes con un tono de carmín marrón, champán o rosado/melocotón.

Las **pieles aceitunadas** van bien con amarillentos, marrones o incluso beiges y malvas.

Las **pieles medianamente oscuras** tienden a ir bien con naranjas, rojos y borgoñas..

Los tonos de **piel chocolate más oscuros** quedan estupendos en todos los tonos oscuros de rojo, marrón y ciruela, pero también van muy bien con colores brillantes claros.

Los labios no contienen ninguna glándula sebácea que pueda producir los aceites naturales que se encuentran en la piel por lo que, con frecuencia, pueden padecer sequedad, deshidratación o grietas. La protección es la clave para evitar estos labios incómodos, problemáticos y poco atractivos.

Si tienes labios agrietados, aplica con regularidad un bálsamo de labios que contenga protección solar máxima. El sol puede secar los labios, por lo que debe asegurarse de que les ofrece la máxima protección ante una pérdida de humedad. Ponlo también justo en el borde de los labios para detener cualquier agrietamiento adicional de la piel externa circundante.

Los herpes están provocados por un virus y son contagiosos, por lo que debes asegurarte de ponerte un carmín que solo te pondrás tú con un bastoncillo de algodón para evitar infectarte en otra parte con los dedos. Si es posible, evita por completo el carmín hasta que se haya curado el herpes pero, si no te queda más remedio, utiliza uno que excluya los tonos rosas o rojos, ya

que exagerarán la piel roja inflamada. Si tratas el herpes con un ungüento de la farmacia matarás al virus a los pocos días así que, medícate.

La paleta

Un pincel de labios es esencial para lograr una aplicación suave y homogénea de todos los preparados para los labios. Utiliza un pincel fino suave y llévalo contigo para retocarte los labios a lo largo del día. Si te gusta cambiar el color de tus labios, lleva un pincel para los colores claros y otro para los oscuros, de forma que no se le mezclen nunca. Un polvo translúcido mantendrá el color en su lugar, y un maquillaje como base proporciona el lienzo perfecto. Los lápices de labios son un elemento esencial, y un brillo ¡crea el toque final!

cómo...

APLICAR COLOR A LOS LABIOS

La aplicación básica del color a los labios es fácil, ¡sólo hace falta un poco de práctica para aplicar bien el delineador de labios! Para crear la base perfecta, aplica maquillaje o base de labios y un poco de bálsamo si están secos. El empezar con unos labios suaves y humidificados solo ayudará a crear un resultado final inmaculado.

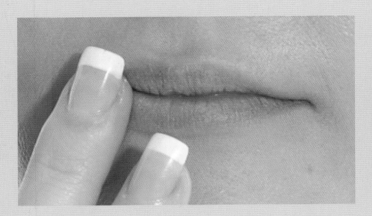

① Antes de aplicar el delineador de labios, asegúrate de que los labios están limpios y bien exfoliados para eliminar las células muertas que provocan sequedad y dan una apariencia escamosa. Recuerda que debes aplicar un maquillaje en los labios para dejar la superficie mate.

② Utilizando un color que refleja el del lápiz de labios que has elegido, empieza en la zona central superior de los labios. Este arco de cupido es el área que verán quienes te miren, por lo que ¡asegúrate de hacerlo bien! Utiliza un lápiz afilado, pero con la punta redondeada, y trabaja desde el centro de la boca hacia los bordes. Si tensas ligeramente los labios conseguirás que la superficie de los mismos esté más igualada, logrando que la aplicación resulte más fácil.

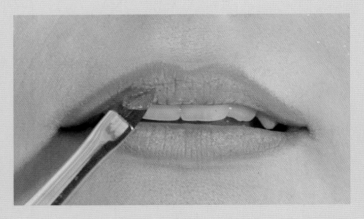

③ Con un pincel de labios empapado, sigue la línea externa del delineador de labios y rellena el espacio del labio. Asegúrate de no estirar los labios poniendo una expresión extraña; una aplicación natural relajada permitirá lograr un resultado mucho más nítido. Cuando hayas acabado absorbe el exceso con un pañuelo de papel y aplica una capa de polvo sobre el mismo para fijar la primera capa.

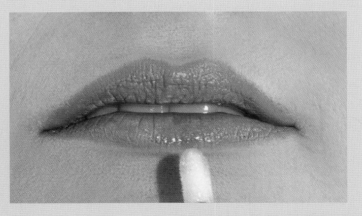

④ Vuelve a aplicar como antes para dar doble protección y triplicar el efecto duradero de tu carmín. Un acabado realmente bueno consiste en volver a perfilar con el delineador de labios para volver a definirlos antes de aplicar el brillo. Utiliza el palillo con esponja que viene con el brillo y pon un poco de brillo en el centro de los labios, difuminando hacia los bordes con un pincel.

Escultura de labios

A menudo, una de las principales quejas que tienen las mujeres es que no están contentas con la forma de sus labios. Demasiado grandes, demasiado pequeños, demasiado finos, demasiado gruesos…. Aunque tus labios siempre tendrán la misma forma, salvo que los cambies con inyecciones de colágeno o tratamientos de ese tipo, hay formas de darles una apariencia distinta.

DEMASIADO GRANDES, DEMASIADO LLENOS

Para minimizar la apariencia de labios gruesos, dibuja una línea justo por dentro de la línea natural del labio. Utiliza un tono más oscuro para distraer la mirada de la boca y resalta por el contrario los ojos. El brillo de labios hará que los labios parezcan más gruesos por lo que, si tienes que poner brillo, utiliza una simple barra de labios. Una línea claramente definida reducirá la apariencia de los labios más grandes sin alterar su forma.

DEMASIADO FINOS, DEMASIADO PEQUEÑOS

Perfila con la forma exacta de los labios, y no por encima de la línea externa (para evitar esa apariencia de payaso cuando al final se quita el color), y rellena con un color medio. Párate justo antes de las comisuras para dar profundidad a los labios, y añade brillo para un acabado sobresaliente. Un corrector claro alrededor de los labios puede resaltar el área y dar a los labios una apariencia más grande.

LABIOS MADUROS

Los labios maduros adolecen de sequedad y se suele correr la barra de labios (cuando se introduce en las arrugas alrededor de la boca). Utiliza una barra de labios para evitar la infiltración del pigmento y un delineador con un color neutro. Los carmines sencillos quedan bien, ¡pero evita poner brillo! Si las comisuras de los labios te quedan hacia arriba o hacia abajo, no pongas ningún color en ellas y acaba la aplicación justo en el interior de las mismas y de la boca para restar atención a esta área.

trucos del profesional

PARA LOS LABIOS

- Utiliza un lápiz del mismo color que el color labial para un maquillaje diurno, pero si quieres un toque de vampiresa opta por un delineador más oscuro y ¡difumina, difumina y difumina!

- No compartas nunca la barra de labios ya que hay una enorme cantidad de bacterias y otros microbios que pueden vivir en la barra de labios durante mucho tiempo.

- Utiliza un pincel de labios siempre que sea posible ya que esto limita la cantidad que aplicas y lograrás un resultado más duradero.

- El brillo de labios exagera el color por lo que debes utilizarlo cuando quieras que los labios parezcan más grandes.

- Para evitar que el carmín pinte tus dedos, seca la parte interna de los labios con un pañuelo de papel tras aplicar el color labial.

- Intenta no restregar o juntar los labios tras aplicar el delineador y el labial ya que es la receta perfecta para arruinar tu apariencia.

09 maquillaje para hombres

maquillaje para hombres

Puede que te resulte extraño que exista este capítulo… Pero hoy en día los hombres utilizan cada vez más cosméticos para ocultar las imperfecciones y crear una apariencia de salud, vitalidad ¡y buen aseo! La venta de cosméticos para hombres está creciendo todos los años, y los hombres están cuidando ahora su piel y protegiéndola con cremas hidratantes de protección solar así como con cremas hidratantes tintadas. ¡Los días del hombre duro y rudo son cosa del pasado! Ahora los hombres quieren lograr una complexión más sana y cuidada y sentirse bien consigo mismos.

Las largas horas de trabajo y el estrés contribuyen a que la piel tenga una apariencia cetrina, sin vida y poco sana. Así que, además de afeitarse con las últimas lociones y pociones, los hombres están cuidando de su piel.

Un lienzo en blanco

Es mejor que la piel esté en una condición excelente antes de aplicar ningún cosmético, y esto requiere ¡un afeitado perfecto y apurado! Aunque la piel de los hombres y las mujeres tiene fundamentalmente los mismos componentes, se trata de forma muy distinta y esto es lo que cambia su apariencia.

La piel de los hombres tiende a ser más seca y de una textura más ruda que la de las mujeres. Independientemente de que se utilice una máquina de afeitar eléctrica o una maquinilla con cuchilla, la piel sigue quedando exfoliada, razón por la que es tan fácil hacerse rasguños y cortes.

Los días de utilizar maquinillas baratas de usar y tirar son cosa del pasado. Cuando más se dañe la piel con los años de afeitado, más avejentada estará. Hoy en día, las maquinillas de afeitar varían en cuanto a tamaño y afilado, y hay una sorprendente gama de equipos tipos y diseños en el mercado que ofrecen barras de seguridad, múltiples cuchillas, tecnología sónica, bandas de prehidratación y cualquier cosa que se te ocurra. Es esencial utilizar una maquinilla de afeitar con la que el hombre se sienta cómodo, así como utilizar la técnica correcta para afeitarse. Las cuchillas con barras protectoras minimizan realmente la posibilidad de cortarse pero, ¿proporcionan por sí solas el afeitado más apurado? Una buena limpieza de la piel y una buena exfoliación levantarán los pelos de la cara y los prepararán para cortarlos. Así que, al preparar bien la piel y utilizar las mejores herramientas, el afeitado es lo más apurado y perfecto que se puede conseguir.

cómo...

CONSEGUIR EL AFEITADO PERFECTO

El mejor afeitado proporciona un acabado limpio, suave y cómodo, sin irritaciones, heridas ni rasguños. Un buen afeitado también puede significar que se reduce la necesidad de afeitarse a diario o dos veces al día.

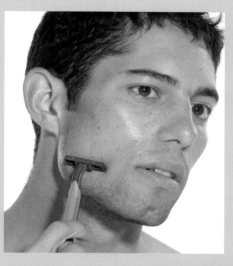

① Llena el lavabo con agua caliente y empapa la maquinilla durante unos pocos minutos para permitir que el metal esté flexible, facilitando su manipulación sobre la piel. Mójate la cara y aplica un preparado de afeitado con base de aceite o aceite de almendra. Evita los productos que contienen alcohol, perfume o jabón.

② Utiliza un cepillo facial para levantar los pelos de la cara y para incorporar o mezclar el producto.

③ Estira la piel y empieza a afeitar hacia abajo, en la dirección del crecimiento del vello, hasta que hayas afeitado toda la cara.

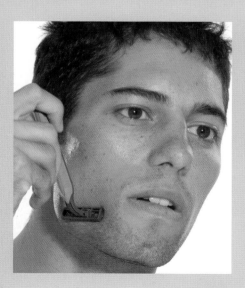

④ Invierte ahora el proceso y afeita hacia arriba, en la dirección contraria a la del crecimiento del vello, aplicando más producto de afeitado si es necesario. Salpica con agua fría la piel para quitar el producto de afeitado y espera cinco minutos antes de aplicar una crema hidratante sin perfume ni alcohol.

COSAS QUE HAY QUE HACER Y COSAS QUE NO HAY QUE HACER

✗ No apliques crema aftershave en la cara, ya que te picará y el alcohol secará la piel y puede provocar una reacción alérgica en forma de espinillas.

✔ Aplica crema hidratante en la piel para protegerla de la contaminación y las bacterias invasoras que pueden provocar envejecimiento.

Cuestiones fundamentales del cuidado diario de la piel

Todos los días tu piel deja caer millones de células de piel muerta y atrapa la polución, la suciedad y sustancias perjudiciales de los radicales libres en su superficie. Salvo que se limpie adecuadamente, hay un mayor riesgo de espinillas dolorosas, piel seca y escamosa y puntos negros.

La mayoría de los hombres utiliza agua y jabón, si es que utiliza algo, para limpiarse la piel, pero no hay nada más atractivo que una piel de apariencia saludable que está bien cuidada.

LIMPIA

El mejor producto que se puede aplicar en la cara antes o después del afeitado para limpiar la piel es una crema limpiadora que se aclara con agua. Esto ofrece las ventajas de una limpieza suavizante que facilita el afeitado al tiempo que da una profunda limpieza de la piel. La mayoría de los hombres prefiere utilizar simplemente agua para quitar el producto limpiador, que es lo más rápido, aunque debes evitar utilizar una ballesta, ya que es un caldo de cultivo de todo tipo de parásitos, bacterias, células muertas de la piel y suciedad diaria. Asegúrate de incorporar el cuello a tu rutina de limpieza ya que, si afeitas este área, necesitará el mismo tratamiento que la cara.

REFRESQUE

Utiliza un pulverizador o tónico facial que realmente aclarará y refrescará la piel al tiempo que garantiza que el pH de la misma permanezca intacto, protegiéndola de los estragos externos. Utiliza por el contrario un tónico natural para piel sin alcohol o perfume, que añade aceites esenciales para dar un buen olor ¡sin escozor! Si lo aplicas con un algodón dejarás briznas de algodón en la cara, por lo que debes aplicarlo con un spray o empapar ligeramente el algodón antes y secar la cara hacia abajo de forma que el algodón no se quede atrapado en los pelos de la barba.

NUTRA

Es esencial utilizar crema hidratante, y ahora hay muchos productos disponibles para los hombres. Si prefieres probar antes de comprar, prueba la crema hidratante de tu pareja o amigo primero para ver qué tipo se adecua mejor a tu piel. El nutrir la piel con cremas hidratantes con factor de protección solar no sólo la protege del sol sino que la resguarda del desgaste cotidiano y de los elementos contaminantes transportados por el aire que aumentan las señales de envejecimiento. Además de los parabienes externos, la crema hidratante hace que la piel esté suave y lisa y no te picará después del afeitado. ¡También hace que la piel parezca brillante, luminosa y muy besable!

mascarilla de arcilla

Piel de domingo

Las rutinas de cuidados de la piel deberían ser rápidas y fáciles de realizar. Si intentas utilizar demasiados productos puede que te aburras y corres el riesgo de ¡no hacer absolutamente nada!

Aparte de limpiar e hidratar la piel a diario, es una buena idea hacer una limpieza profunda de la piel con un rápido spa facial una vez por semana. La siguiente rutina sencilla te ayudará a fomentar la inmunidad de la piel ante las bacterias invasoras y a limpiarla con mucha más profundidad.

EXFOLIACIÓN

Exfolia muy suavemente la piel después de limpiarla. Es importante utilizar un exfoliante de grano fino o una pequeña esfera exfoliante para deshacerse de las células muertas más resistentes sin sensibilizar la piel en exceso. Humidifica la piel y aplica un pequeño pegote de exfoliante en la cara y el cuello con movimientos circulares suaves con el producto por todas partes hasta que aparezca un tono rosado muy ligero en la piel. No frotes demasiado, porque el enrojecimiento consiguiente tardará en desaparecer y será prueba de movimientos demasiado concienzudos. Evita la zona de los ojos, ya que la piel de la misma es muy sensible, pero incluye los labios para erradicar zonas duras y escamas que pueden ser muy evidentes e irritantes.

MASCARILLAS

Las máscaras ayudan a mejorar la apariencia superficial de la piel, además de ofrecer un valioso tiempo de relajación. Averigua qué tipo de piel tienes y sigue las elecciones de mascarillas recomendadas en "la base perfecta" (*véanse* las páginas 32 a 57). Deja la mascarilla puesta durante diez minutos y aclara con agua.

Un masaje también puede ser realmente beneficioso para la piel y, si sigues la rutina que se explica en este libro, mejorará la circulación de la piel y los sistemas de liberación de toxinas. Yo prefiero dejar el aceite facial en los hombres para que se "empape" un poco ya que, salvo que la piel sea grasienta, la piel de los hombres tiende a estar deshidratada y seca.

Tratamiento diario de la piel

Después de afeitarse y limpiarse, es importante, no sólo hidratar la piel, sino también utilizar un tratamiento de labios mate para protegerlos de los daños que provoca el sol y, posiblemente también, un gel de ojos para reducir las bolsas y ojeras. Los iconos masculinos de hoy en día utilizan con regularidad Botox, colágeno y cirugía estética para obtener la apariencia juvenil tan deseada. Al seguir los procedimientos básicos del cuidado de la piel, se prolonga la vida de la piel joven y, por encima de todo, ¡es más cómodo!

La bolsa de aseo

Los productos que se muestran a continuación deberían estar en la bolsa de aseo de todo hombre. ¡No salgas de casa sin ella!

CREMA HIDRATANTE TINTADA

Produce el abrillantado ideal de la piel sin la pesadez del maquillaje; esta ligera consistencia simple ofrece cierta cobertura pero no tanta como para que resulte evidente. Esto tiende a ser adecuado para los hombres al cubrir ligeramente con la ventaja de un poco de color adicional y un brillo saludable. ¡Es perfectamente natural querer cubrir las finas líneas e imperfecciones!

CORRECTOR

La utilización de un corrector en una cara totalmente maquillada no es observable, por lo que debes utilizarlo muy poco en una cara que no está maquillada. El truco consiste en utilizar una cantidad muy pequeña de corrector que sea del mismo color que la piel y difuminarlo con una esponja para reducir la posibilidad de que se vean líneas indeseables.

MÁSCARA TRANSPARENTE

Muchas mujeres envidian a los hombres y sus largas pestañas, por lo que debe explotarlas al máximo y darles una apariencia homogénea con una máscara transparente que oscurecerá su apariencia y puede añadir aún más longitud. También se pueden peinar las indómitas cejas para que no sobresalgan con este producto transparente que se limita a poner los pelos en su sitio.

PROTECTOR MATE DE LABIOS

El protector de labios es un tratamiento balsámico esencial de alisamiento y suavización, que mantiene protegidos a los labios de la luz ultravioleta, los elementos contaminantes y los radicales libres. No tiene color y es mate, y a veces ¡puede tener incluso un sabor! Cualquier bálsamo es mejor que no ponerse ninguno, pero uno que esté diseñado específicamente para los hombres garantizará que no brilla ni es observable. Unos labios agrietados no son la mejor apariencia, y los bálsamos ayudan a que estén menos secos.

Aseo

A veces hace falta una mano para lograr una apariencia aseada. Los hombres están prestando ahora atención a las cejas y pestañas para acentuar sus rasgos. No todo el mundo tiene que recurrir a las inyecciones de Botox y colágeno pero el aprovechar al máximo lo que uno tiene sólo puede ser bueno.

FORMA DE LAS CEJAS

¡No, no me refiero al arco perfecto! Pero es bueno deshacerse del "entrecejo" o de los vellos sueltos con lo que se puede alargar y aclarar realmente los ojos. Concéntrate en el espacio entre las cejas, ya que ésta es la zona en que se notan más los pelos sueltos. Es probable que tu barbero te recorte las cejas largas pero, si tu mismo lo mantiene, conseguirás tener una apariencia aseada durante más tiempo.

TEÑIDO Y PERMANENTE DE LAS CEJAS

Parece un poco excesivo pero el resultado es fantástico y, para los que se tiñen el pelo pero no oscurecen las pestañas, puede descubrir que las dos cosas juntas dan un resultado más realista. Lo bueno del teñido es que añade color sin que parezca antinatural, y el gris o el marrón suelen ser una gran elección para lograr un acabado discreto. Los hombres pueden seguir las líneas directrices del dibujo del contorno de la cara igual que las mujeres para resaltar y reducir las áreas que no gustan, pero sugiero enérgicamente que, sea lo que sea lo que utilices, seas lo más natural posible. El pelo también puede marcar una gran diferencia a la cara, y la moda recuperará en algún momento ¡el temido bigote! Pero lleva lo que vaya bien y te haga sentirte con confianza y atractivo.

10 adolescentes

adolescentes

Ser un adolescente tiene sus retos. Con frecuencia, la piel joven puede ser impredecible y requiere muchos cuidados y atención. Un sencillo régimen de limpieza diaria te ayudará a mantener bajo control las imperfecciones y los parches grasientos. Para quienes se pongan maquillaje, este capítulo ofrecerá valiosos trucos y sugerencias de belleza que garantizarán que sacará lo mejor de usted.

Soluciones para la piel

Entre los once y los dieciocho años, la piel atraviesa múltiples cambios, desde brillante y grasienta hasta seca y escamosa. Todo ello se debe a un grupo de hormonas masculinas denominadas andrógenos, que se mezclan con las hormonas femeninas progesterona y estrógenos. La piel de los adolescentes suele ser más grasienta que la piel más madura, y suele ser proclive a impurezas y espinillas, que pueden provocar acné. La piel adolescente es muy volátil, y es importante cuidarla en estos tiempos difíciles para impedir señales de envejecimiento acelerado y cicatrices de los granos.

LIMPIEZA

Si quieres una piel radiante, ¡no utilices nunca una pastilla de jabón! Utiliza productos que no quitan a la piel sus nutrientes vitales. Los lavados y limpiadores faciales de árbol del té son excelentes para las pieles adolescentes porque contienen ingredientes naturales que ayudan a eliminar las bacterias. Sólo debes utilizar lavados farmacológicos para el acné si te los prescribe el médico, ya que son muy abrasivos y pueden ser perjudiciales para la piel

Limpia la piel dos veces al día para quitar la polución, la suciedad, el sudor y los parásitos que pueden provocar espinillas. Evita utilizar una esponja o una toallita ya que son el caldo de cultivo de ¡todo tipo de indeseables!

No satures la piel con productos que contienen alcohol para curar las espinillas. Los productos basados en alcohol son muy fuertes y quitan a la piel su grasa, lo que puede sonar bien, pero simplemente conseguirás que la piel produzca más ¡para compensar la pérdida! Las toallitas limpiadoras y los productos especializados para la piel adolescente pueden contener ingredientes abrasivos, por lo que debes optar por las opciones naturales como el árbol del té y la lavanda.

TONIFICACIÓN

Para esa sensación de limpieza deslumbrabte, utiliza un tónico sin alcohol para eliminar todo rastro del limpiador. Evita el alcohol como una plaga, ya que seca la piel y fomenta una mayor producción de sebo para reequilibrar la superficie. Los productos químicos fuertes son demasiado abrasivos para esta piel joven. Prueba con el agua mineral para refrescar la piel tras limpiarla.

HIDRATACIÓN

Siempre debes proteger la piel desde una edad muy temprana utilizando una crema hidratante con factor de protección solar. Los rayos del sol provocan arrugas, irregularidades de la pigmentación, lunares e, incluso, cánceres de piel. Al hidratar la piel, incluso si es una piel grasienta, creamos una sensación mate pero proporcionamos la protección necesaria del sol durante todo el día. Utiliza un producto con base de agua y se introducirá sencillamente en la piel, por lo que ni siquiera serás consciente de que te lo has puesto.

Un día abrasador

Las cremas de protección solar no impiden que te pongas morena, ¡sólo evitan que te quemes! Así que recuerda la regla de oro: empieza con un factor elevado y reduce paulatinamente el factor de protección solar. A medida que te vayas poniendo morena, la piel quedará protegida de forma natural y puedes reducir con seguridad el factor de protección solar y seguir bronceándote.

Si te quieres poner morena deprisa, ¡opta por un bronceado artificial! Es mucho más seguro y hoy en día tienen una apariencia realmente natural. Si eres una amante del sol y quieres ponerte aceite bronceador para acelerar el proceso, recuerda que

DEPILACIÓN Y LÁGRIMAS

Lo primero que debe recordar es que, entre los once y los catorce años, es usted una adolescente, y se crece suficientemente deprisa ¡sin necesidad de acelerar el proceso! Depílese las cejas si quiere, pero tenga cuidado porque los vellos de las cejas ¡no siempre vuelven a crecer! Así que opte por una forma con la que siempre se sentirá cómoda ¡por si acaso!

Un error frecuente es intentar lograr una apariencia de ser más mayor porque suele resultar evidente para cualquier observador que ése es su objetivo. Intente no recurrir al maquillaje para ello ¡porque los resultados no siempre culminan en éxito! El maquillaje, la moda y la belleza deberían ser algo divertido, por lo que debe disfrutar de la experimentación ¡sin pasarse de la raya!

lo que estás haciendo es "cocerte" la piel, ya que la combinación de calor extremo, rayos ultravioleta y aceite es mortal para ella.

Maquillaje para adolescentes

El maquillaje para las adolescentes puede ser un reto, ya que algunas modas ¡se olvidan del sentido común más básico! Pero el maquillaje siempre marcará la diferencia y potenciará los rasgos naturales. Puedes decidir que tu estilo es distinto del de todas las demás y siempre serás una individualista. Lánzate al ruedo, y luce desde natural a gótica y a todo lo que hay enmedio: el maquillaje está allí para experimentar con él, así que prueba qué es lo que funciona para ti. El recubrir una piel problemática puede resultar difícil, pero se supone que tiene que tener una piel desequilibrada, y tus compañeras se sentirán todas igual. No todo el mundo es una belleza natural a esta edad, y muchas famosas necesitaron mucho tiempo para ¡convertirse en mariposas!

cómo...

CREAR UN MAQUILLAJE PARA UNA ADOLESCENTE

La faceta más divertida del maquillaje cuando se está en la primera adolescencia es que puedes ponerte cualquier cosa sin que pase nada, especialmente color, purpurina y brillos, así que debes probar todas las combinaciones que quieras y ¡divertirte probando nuevas ideas!

① **Empieza con lo básico y, después de limpiar e hidratar, prepara un buen fondo de maquillaje de base claro y aplícalo con los dedos. Evita la "marca de la marea" utilizando una esponja alrededor de la línea y difuminando hasta la perfección.**

¡ADOLESCENTEMENTE FANTÁSTICO!

Si tu piel está un poco enrojecida o es sensible, elige una base con lavanda u otros aceites esenciales que ayuden a suavizar. El corrector verde puede ocultar el rojo, pero debes utilizarlo en áreas grandes más que en puntos individuales. Un corrector algo más oscuro o del mismo color que el tono de tu piel será lo mejor para granos e imperfecciones, por lo que debes poner un poco con un algodón y difuminar si es necesario con el maquillaje. El polvo puede dar un aspecto antinatural, por lo que debes evitarlo y utilizar un acabado más claro.

② **Para los ojos prueba cualquier estilo que te vaya bien, pero lo sencillo siempre tiene un resultado asombroso y dura más tiempo. Prueba con un poco de sombra de color y aplícala a los párpados y debajo del ojo. Iguala este color con un delineador de color con purpurina o brillo para enmarcar los ojos y lograr una apariencia de fiesta.**

③ **La máscara y los lápices para las cejas no suelen ser necesarios, pero los puedes utilizar si lo deseas y siempre debes rizar esas pestañas para agrandar el ojo y ¡enseñar realmente el maquillaje!**

④ **El colorete y polvos son aditamentos divertidos y los debes utilizar de forma natural. El colorete en crema queda excelente en las pieles jóvenes y, cuanto más roja sea la complexión natural, más color melocotón debe ser el colorete. Aplícalo siempre al pómulo de las mejillas para un brillo fresco y sano.**

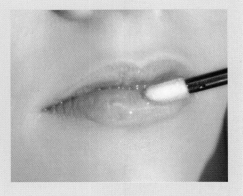

⑤ **La barra labial no requiere delineador ya que te dará una ¡apariencia de muñeca! Por lo que un brillo natural o reluciente funcionará de maravillas y ¡destacará realmente!**

11 iluminación y opciones profesionales

iluminación

El maquillaje puede cambiar la vida de una persona, y la gente suele tener miedo de cambiar su apariencia física. Cuando las artistas del maquillaje deciden qué apariencia van a elegir para ti, con frecuencia plantean preguntas sobre qué es lo que te gusta, en qué trabajas, cuáles crees que son sus rasgos preferidos/peores y para qué ocasión te estás maquillando. Toda esta información ayuda a decidir los colores y estilos que funcionarán mejor contigo.

El lugar donde te maquillas marca una gran diferencia en el resultado final y estoy segura de que todas hemos salido de unos grandes almacenes en donde nos han maquillado con pinta de ¡muñeco de cera! Las luces son tan potentes que

pueden cambiar el tono y el color natural de la cara por lo que, cuando volvemos a la realidad, ¡los resultados pueden ser bastante alarmantes!

Después de una sesión fotográfica para una revista o para una película, suelo suplicar a mi cliente que se quite el maquillaje cuando termine la sesión porque, aunque las luces del estudio dan una apariencia inmaculada, ¡la historia es totalmente distinta a la cruda luz del día! La iluminación correcta es vital para lograr una aplicación profesional.

Maquillaje de día

La luz natural es en la que te encuentras la mayor parte del tiempo por lo que, deberías aplicar el maquillaje de día, delante de un espejo y cerca de una ventana sin, a ser posible, sombras. A menudo, el cuarto de baño y la habitación son ideales, ya que tienes tus herramientas a mano, y sin ninguna luz artificial que perturbe los tonos de tu piel, tendrás exactamente la misma apariencia ante el espejo que la que tendrás fuera de casa. Lleva contigo una bolsa básica de maquillaje y un espejo de bolsillo para que puedas volver a aplicar el maquillaje a lo largo del día.

Con frecuencia, veo a la gente que lleva este paso demasiado lejos ¡y se pone todo el maquillaje en el coche, en el autobús o en el tren! No es aconsejable por razones evidentes. Reserva un poco de tiempo y pónte el maquillaje correctamente. A largo plazo ahorrarás tiempo y no tendrás que corregir errores o retocar el maquillaje con tanta frecuencia.

Maquillaje fotográfico

En un estudio se utiliza luz artificial para crear una imagen impecable. Casi todos los fotógrafos ahora sacan las fotos digitalmente, ya que se pueden cambiar y borrar fácilmente las imágenes. Esto incluye "retocar" aquellas áreas que no son tan impecables. La iluminación requiere tiempo para ser perfecta y, con frecuencia, los fotógrafos utilizarán fondos blancos o negros para absorber o reflejar la luz donde la necesitan. Las luces de un estudio son muy potentes por lo que es necesario

que el maquillaje sea capaz de traslucir más que desaparecer, por lo que es esencial aplicar un poco más. Con frecuencia, los hombres y mujeres se sienten embadurnados de maquillaje, pero es realmente importante comprender que éste quedará devorado por la luz sino se aplica correctamente.

Cuando se pone el sol

Las habitaciones y las luces oscuras nos engañan haciéndonos creer que no se pueden ver las imperfecciones pero, cuando se dispara el temido flash fotográfico, aparecemos súbitamente bajo la luz brillante y ¡todo queda revelado! El truco consiste en no poner demasiado fondo de maquillaje corrector ni polvo sólo porque es de noche, sino poner un poco más en los ojos y en los labios.

Maquillaje para bodas

El maquillaje para bodas es difícil de dominar, y muchas novias prefieren acudir a una profesional para el maquillaje del gran día. Durante el día, es mejor tener una apariencia natural y luminosa, y añadir un maquillaje para la noche garantizará que seguirás estando igual de bien con el paso de las horas.

Mis años de experiencia en este campo me han enseñado que el peor error que puedes cometer es no reservar una sesión de prueba con la artista que te maquillará. No corras el riesgo. Tanto la artista como la novia deben estar satisfechas con el maquillaje antes del gran día.

Las bodas son estresantes, por lo que las artistas del maquillaje tienen que ser conscientes de que una paciencia extraordinaria, una gran comprensión y la calma son cualidades profesionales que hay que aplicar.

La elección profesional

En numerosas ocasiones se me han pedido que dé consejos sobre los productos para todo tipo de hombres y mujeres que quieren elegir mejor en función de su piel. No siempre resulta fácil optar entre los productos clave de entre un surtido tan grande, y puede ser una tarea dantesca cuando las empresas de cosméticos anuncian multitud de liposomas, voluminificadores, y extractos marinos, de frutas y plantas exóticas.

La elección correcta

Las elecciones del cuidado de la piel y el maquillaje no deberían basarse exclusivamente en el precio, ya que las marcas más caras no son necesariamente las mejores. ¡No te dejes engañar nunca por un envoltorio precioso y las caras campañas de marketing! Las empresas de cosméticos de todo el mundo utilizan toda una serie de eslóganes y famosos para vender sus productos. Es un enfoque que vende ya que todos queremos parecernos, o creer que nos parecemos, a nuestros personajes famosos favoritos.

Para mí, la piel es tanto una cuestión de lo que nos ha dado la naturaleza como de lo que utilizamos para nutrirla. La naturaleza nos da una buena genética o una mala de la piel: si nos fijamos en nuestros padres nos haremos una idea bastante buena de cómo seremos cuando seamos más mayores. La nutrición es la forma en que cuidamos de nuestra piel. La gente que tiene malos genes puede tener una piel preciosa pero hace falta tiempo y esfuerzo para mantener este nivel de cuidados. No se trata de vanidad o de dejarse llevar, sino de estar sanas y de cuidar de lo que nos ha dado la naturaleza.

¡Hay tanta gente que me ha pedido productos antienvejecimiento cuando ya tiene la piel llena de arrugas y líneas! Es esencial hacer el esfuerzo cuando se es joven.

¡No seas vaga!

La siguiente lista acaba con algunos de los mitos sobre los productos, desde el cuidado de la piel hasta el maquillaje. No te olvides de tu rutina diaria: ¡merece la pena!

LIMPIADORES

Siempre tienen una base de agua o de aceite. Aunque los limpiadores con base de agua son buenos para las pieles grasientas, los que tienen una base oleosa quitan el maquillaje con mucha más eficacia. Los limpiadores que se aclaran con agua no quitan el maquillaje con profundidad, y un agua dura puede provocar una sensación de tirantez en la piel. Algunas empresas de cosméticos sólo ofrecen un limpiador para todos los tipos de piel, lo que puede darte la sensación de que tu tipo de piel particular no está siendo tratada, pero recuerda que el limpiador sólo está en la piel durante unos pocos momentos para quitar el maquillaje y los elementos contaminantes: no pretende tratar la piel.

Como siempre, evita los limpiadores muy perfumados o con muchos conservantes, ya que pueden provocar reacciones en la piel. Merece la pena gastar un poco más en un limpiador, ya que los más baratos son bastante básicos. Las toallitas faciales y los productos de dos o tres en uno no funcionan como parecen, ya que necesitan mucho tiempo para hacer un solo trabajo (limpiar) ¡por no hablar ya de tres (limpiar, tonificar e hidratar)! ¡No tomes atajos y asegúrate de elegir los productos adecuados!

TÓNICOS

Con frecuencia se da poca importancia a los tónicos, pero son excelentes para hacerte sentir fresca y revitalizada. No gastes demasiado en un tónico, ya que su principal ingrediente es el agua, con unos pocos ingredientes adicionales, como extractos de frutas o plantas para perfumar el producto, pero también para tratar la piel y volver a equilibrar su superficie dándola esa sensación de limpieza. Opta por un agua floral natural para quitar los restos del limpiador y refrescar la piel. Algunos tónicos tienen un elevado contenido de alcohol que seca la piel, por lo que debes optar por las versiones más suaves, con un bajo contenido en alcohol, para realmente fomentar la hidratación de la superficie.

HIDRATANTES

La mayoría de la gente se hidrata la piel en cierta medida, comprenden las ventajas de una buena hidratación. Pero, ¿estamos pagando demasiado? Debes elegir una con la que te sientas cómoda y que sea nutritiva sin añadir demasiada grasa a la piel. Siempre debe llevar un factor de protección solar, y no debes fijarte en ingredientes que suenan de maravilla, ya que pueden estar presentes en cantidades muy escasas. Por el contrario, opta por una crema que te puedas permitir y que te guste, ya que te sentirás bien al ponértela y ello te animará a utilizarla de forma habitual. Los aceites esenciales y los extractos de hierbas y plantas, pueden ser excelentes cuidadores de la piel, por lo que debes elegir según las necesidades de tu piel. Pide siempre consejo a un especialista en belleza si no estás segura de lo que debes comprar.

La crema hidratante tiene dos funciones básicas: proteger y nutrir. Solo porque una crema hidratante le vaya bien a tu mejor amiga, no significa que te vaya bien a ti, por lo que lo debes probar primero. La crema hidratante de máxima venta del mundo tiene un color amarillo brillante y ¡se vende como churros! Pero, ¿es realmente buena, o es sólo una excelente campaña de marketing? La publicidad que emplea a personajes famosos para sus productos puede resultar útil pero, con frecuencia, los famosos reciben productos gratuitos para que los prueben y se les fotografíe llevándolos. Las artistas del maquillaje no tienden a utilizar cremas hidratantes caras con sus clientes, ya que no permanecen en la piel lo suficiente. Cuantos más ingredientes contenga un producto, más posibilidades hay de que reaccione con tu piel, por lo que debes tenerlo en cuenta.

Tratamientos de la piel

Cada cierto tiempo la piel necesita un tratamiento de recuperación para refrescarse. En los meses invernales, la piel puede tener una apariencia cetrina y seca, por lo que un tratamiento de suero o exfoliación líquida puede refrescar e impulsar el brillo de la textura de tu piel.

EXFOLIACIÓN

La exfoliación es lo mejor para quitar de la superficie las células muertas de la piel. Existen muchos tipos en el mercado, pero para mí los exfoliantes de grano fino son los mejores ya que raspan la piel sin arañarla. Las grandes partículas de nuez de los productos más baratos pueden ser muy abrasivas sobre la piel y no quitan las células muertas. Los productos que contienen "esferas" pueden ser estupendos desde un punto de vista técnico pero, con frecuencia, son demasiado suaves para hacer nada, por lo que, de nuevo, prueba antes de comprar sobre el reverso de la mano. Los exfoliantes líquidos y químicos de la piel varían en potencia, por lo que debes asegurarte de exfoliarte cuando tengas tiempo para que ¡se recupere la piel! Exfolia dos veces por semana para tener una complexión lisa o cepíllate la piel de la cara para una exfoliación más ligera y para intentar estimular el sistema linfático (*véase* la página 48).

mascarilla de cara

MASCARILLAS

Teniendo en cuenta que las tres primeras capas de la piel son células muertas, las mascarillas faciales son, en cierta medida, ¡un tratamiento misterioso! Puede que descubras que, aunque tu piel no parece radicalmente distinta, estará más fresca, más tersa y más limpia. Para mí, las mascarillas son puramente un tratamiento psicológico; proporcionan un tiempo de descanso muy necesitado para relajarse por lo que, aunque es posible que subestimes el poder de una mascarilla, ¡nunca subestimaré el poder del descanso! No gastes demasiado en mascarillas pero, si te gusta la sensación, utilízala una vez por semana.

exfoliador

suero

tratamiento nocturno de la piel

SUEROS, AMPOLLAS Y TRATAMIENTOS LÍQUIDOS

Estos productos especializados están compuestos con extractos activos de plantas y hierbas para mejorar la apariencia y textura de la piel. Los sueros son ligeramente aceitosos y vienen en botes que se aprietan y liberan la cantidad exacta necesaria por aplicación, mientras que las ampollas y líquidos vienen en pequeñas botellas para utilizar todo lo que quieras. Sólo debes recordar que estos productos extremadamente vigorizantes deben utilizarse en dosis pequeñas porque si utilizas más de lo que necesitas ¡solo estarás desperdiciando el producto y tu dinero! Estos tratamientos de la piel pueden ser caros, por lo que solo debes elegir los que te puedas permitir o, alternativamente, debes copiar los ingredientes de la naturaleza y ¡fabricarte tus propios tratamientos a partir de frutas, hierbas y plantas!

TRATAMIENTOS NOCTURNOS DE LA PIEL

Estos productos pueden ser un gasto adicional que no necesitas. La piel se regenera por la noche y las zonas de sebo se rellenan. Si nutres demasiado la piel con cremas hidratantes pesadas durante estas horas de sueño podrás despertarte con una piel demasiado grasienta que resultará incómoda. La mayoría de las pieles no necesitan una nutrición las veinticuatro horas del día por lo que, o bien dejas por completo de nutrirla por la noche, ya que la piel produce aceites naturales, o utilizas una cantidad más pequeña de tu crema hidratante de día habitual.

TRATAMIENTO PARA LOS OJOS

Los tratamientos para los ojos hacen maravillas. Unos ojos frescos dan una buena sensación y a todos nos iría bien un poco más de vitalidad en la zona del ojo para darnos una apariencia más despierta ¡aunque no nos sintamos así! Los tratamientos para los ojos no tienen por qué ser caros; elige un producto que puedas utilizar regularmente ya que es mucho más beneficioso así. Opta por un suero o un gel ya que no dejan un acabado oleoso. Ponlo con suaves golpecitos sobre los párpados y alrededor de las cuencas del ojo, permitiendo que se absorba antes de aplicar el maquillaje.
El contorno de ojos y las mascarillas tienen un efecto temporal pero la sensación es de auténtico lujo y son ¡absolutamente imprescindibles!

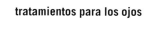

tratamientos para los ojos

En serio, ¡es una auténtica locura!

En lo que respecta al maquillaje, el mercado está inundado de productos atractivos, pero la inversión de un poco de tiempo para elegir los adecuados te ahorrará dinero y esfuerzo.

BASE DE MAQUILLAJE

De todos los productos de maquillaje, aquí es donde debes invertir más. Una buena base no sale barata, pero durará unos cuantos meses y te garantizará una apariencia estupenda todos los días. ¡Nada de marcas! Menos es más cuando se trata de un maquillaje, por lo que debes optar por una cobertura más clara ya que tendrás una apariencia más natural. Cualquiera que sea su preferencia de textura, no escatimes en gastos en cuanto al tono del color y ¡no intentes contentarte con un color de un surtido de sólo cuatro! Si no encuentras exactamente lo que buscas, pide que te hagan tu propio maquillaje: puede que cuesta un poco más pero el resultado lo merece.

CORRECTOR

Este pequeño recipiente de magia debe ser sólo un poco más claro que tu tono natural y se debe aplicar en pequeñas cantidades. Se puede comprar en muchas formas: crema, cera, lápiz, rotulador, tubo, compacto o en una rueda de color. No debes ahorrar en este producto, asegúrate de que compras el que se ajusta a tus necesidades y es de larga duración. Los tratamientos para las imperfecciones son útiles porque recubren los granos además de tratarlos. El corrector es estupendo cuando se aplica en los bordes de la nariz, bajo los ojos y en el hueco de la barbilla para ocultar áreas oscuras y reducir el color.

No es fácil encontrar bloques, así que ¡hay que buscarlos!

SOMBRAS DE OJOS

Hasta hace poco hubiera jurado que cualquier cosa vale pero la nueva generación de sombras son ultrafinas y con una gran pigmentación, ofreciendo un acabado excelente y un color intenso. Opta por sombras individuales; un conjunto con una selección de colores puede no ser la elección adecuada porque habrá al menos un color que no querrás ponerte. Me encanta trabajar con polvos dada la capacidad de mezclarlos entre sí, pero las sombras líquidas, en crema o gel son excelentes para lograr un acabado más natural.

POLVOS

Los polvos translúcidos son relativamente baratos. Los mejores polvos son muy finos en textura, pero los translúcidos son invisibles, por lo que no hace falta que sean tan finos. Los polvos translúcidos más caros parecen blancos pero desaparecen en la piel cuando se aplican con el pincel y dejan un acabado polvoriento invisible. Mejor invertir en un pincel de buena calidad para aplicarlos. Un gran pincel con forma redondeada dispersará los polvos por baratos que sean.

LÁPICES DE CEJAS

Son imprescindibles para añadir definición y color a las cejas. Los mejores son, o bien blandos, o bien gruesos, o son compactos con una selección de tres colores que se aplican con un pincel angular.

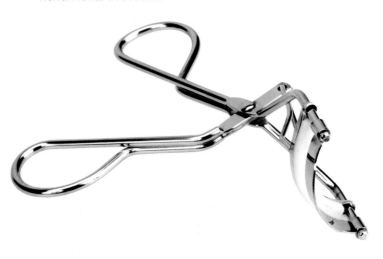

MÁSCARA

Ahora hay muchos tipos distintos de máscaras en el mercado, y todas prometen nutrir, alargar, realzar, engrosar y espesar sus pestañas naturales pero, ¿cuál es el que funciona mejor? Algunas de las empresas de cosméticos francesas líderes acapararon el mercado hace unos pocos años porque sus máscaras eran, en efecto, duraderas y fáciles de utilizar, además de cumplir la promesa de pestañas más largas y gruesas. Sin embargo, se ha dado la vuelta a la tortilla y las artistas del maquillaje de hoy en día tienden a optar por las marcas más baratas porque son igual de buenas y más asequibles. La nueva tendencia de productos de base blancos que después se recubren con máscara ofrecen un efecto espectacular, pero asegúrate de no aplicar demasiada base ya que pueden aparecer pegotes en las pestañas. Asegúrate de poner después una buena capa de máscara para garantizar que se cubre totalmente la base blanca.

RIZADORES DE PESTAÑAS

Es esencial rizar las pestañas, y un rizador básico es asequible y crea resultados fabulosos. Los rizadores calientes no rizan realmente las pestañas sino que fijan mejor un rizo existente, por lo que ¡asegúrate de elegir la herramienta adecuada!

DELINEADORES DE OJOS

Un producto imprescindible que no sale barato. Aquí el precio lo es todo ya que los lápices más baratos tienden a ser duros y a arañar. Los lápices más caros contienen acondicionadores cremosos, son suaves y se deslizan sin esfuerzo por el borde del párpado. Teniendo en cuenta que un lápiz de ojos dura una eternidad, se trata de una buena inversión. Prueba los lápices en el reverso de tu mano antes de comprarlos; debe aparecer color al más ligero toque y, si tienes que restregar, ¡no lo compres!

COLORETE

Vaya surtido… Solía haber únicamente polvos, pero ahora también hay geles, cremas y líquidos. Tengo uno de cada tipo para lograr apariencias distintas, pero casi siempre utilizo el mismo tono de colorete. Opta por uno o dos colores que te vayan bien: uno para uso diario y otro con un tono ligeramente más fuerte para la noche.

POLVOS COMPACTOS

Los polvos compactos son estupendos para lograr esa apariencia morena en el verano, por lo que debes elegir uno que se parezca a tu color natural. Debes utilizar un colorete ligeramente brillante para lograr realmente esa apariencia de moreno bajo el sol, pero no un producto resplandeciente, y no optes por lo barato ya que estos productos están hechos de ingredientes muy gruesos que no se difuminan bien.

CARMÍN

¡Nunca se tienen demasiadas barras de labios! Las barras de labios vienen en todos los tamaños, colores y formas, desde las barras de labios tradicionales hasta lápices con destellos y tubos de brillo. Hoy en día queremos que los productos sean compactos y de aplicación rápida y cómoda. Opta por una sencilla barra de labios que contenga el menor número de ingredientes posibles, especialmente porque ¡se comerá la mayor parte de la aplicación diaria! Los precios de la barra de labios pueden ser muy diversos, por lo que debe optar por lo que se pueda permitir y probar la textura antes de comprar. Las barras de labios cremosas no tienen tanto poder de permanencia como la variedad de larga duración ¡que dura horas! Sin embargo, estas barras de labios de larga duración tienden a secar mucho los labios, por lo que siempre debes utilizar una base labial o bálsamo de labios antes y después para suavizar los labios y evitar grietas.

DELINEADOR DE LABIOS

¡Imprescindible para unos labios perfectos! Al igual que el delineador de ojos, los lápices de labios deben ser blandos y deslizarse fácilmente. Pruébalo en el reverso de la mano antes de comprarlos. Los lápices de labios se suelen vender con un pincel en un extremo para ayudar a difuminar el carmín. Nunca debes afilar un lápiz de labios hasta que la mina quede puntiaguda, ya que se romperá cuando lo uses; por el contrario, afila y después rompe ligeramente la punta antes de utilizarlo. Para el día, elige un delineador igual a tu carmín, pero opta por un delineador ligeramente más oscuro para la apariencia nocturna si quieres esa apariencia de vampiresa.

BRILLOS Y DESTELLOS

El brillo añade un saludable resplandor a la piel y sugiere vitalidad y buena salud interna. Hay cientos de productos de brillo, resplandor y purpurina que potencian esta apariencia, y algunos son ¡realmente alucinantes! Las combinaciones cremosas funcionan bien para las mejillas, y la purpurina queda de maravilla sobre ojos y labios. Demasiado brillo puede ser abrumador, por lo que debes asegurarte de utilizar los productos apropiados en las áreas adecuadas. El añadir toques de purpurina da glamour a tu maquillaje nocturno o de fiesta es algo ¡imprescindible!

13 la apariencia final

la apariencia final

Aunque las modas cambian con cada estación, algunos tipos de maquillajes de la historia han sido lo suficientemente populares como para volver año tras año. Así que, ¿por qué es así? Normalmente, porque es fácil conseguir ese tipo de apariencia y ¡quedan bien a todo el mundo! Es un error subestimar el poder del maquillaje, y las estrellas del pasado y del presente saben perfectamente que su apariencia podría terminar siendo la próxima gran moda. Este capítulo abarca las apariencias más populares del pasado y del presente.

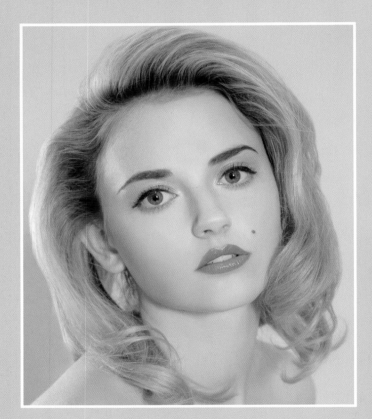

◄ fabulosos cincuenta
véanse las páginas 134–137

► ostentación y glamour
véanse las páginas 138–143

◀ apariencia atrevida
véanse las páginas 144–147

▼ metal–manía
véanse las páginas 148–151

◀ apariencia natural
véanse las páginas 152–155

fabulosos cincuenta

Marilyn Monroe utilizó una mezcla de polvo blanco y vaselina para lograr la base impecable. Afortunadamente, podemos lograr el mismo efecto y aumentar el poder de permanencia utilizando una combinación de maquillaje y corrector. Un maquillaje tan poco exigente como éste requiere un poco de esfuerzo para aplicarlo pero ¡el truco está en la aplicación!

Véanse las páginas 136-137 para ver cómo se crea esta apariencia

cómo...

CREAR LA APARIENCIA DE LOS FABULOSOS CINCUENTA

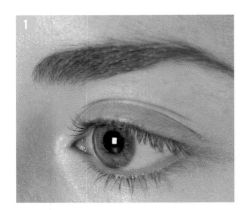

① Empieza aplicando por toda la cara un fondo de maquillaje simple de un tono medio a claro con una esponja, incluyendo los párpados y los labios. Difumina la base hacia el cuello y la frente para evitar líneas ostentosas.

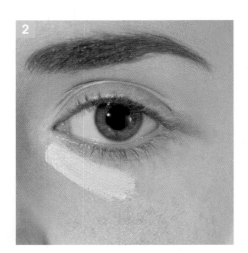

② Pon corrector bajo los ojos en un tono claro a natural, y reduce cualquier enrojecimiento alrededor de la nariz o las mejillas de la misma manera. Oscurece las cejas con un lápiz de cejas y define el arco natural de la ceja todo lo que puedas.

③ Pon una generosa capa de polvos translúcidos en la cara para fijar la base y proporcionar un efecto mate general. El maquillaje claro complementará a la mayoría de los tonos de piel si éste cambia con el calor o la sudoración.

④ Aplica con una esponja o un pincel una sombra de ojos en polvo cremosa y clara en las pestañas hasta la ceja.

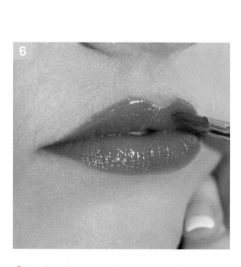

⑥ Aplica ligeramente un colorete en crema de color melocotón en la parte externa de las mejillas, evitando el pómulo para crear una apariencia de que apenas llevas nada. Finalmente, aplica un carmín rojo oscuro para rellenar los labios e intentar darles la apariencia más grande posible que resulte natural.

⑤ Aplica una línea generosa de delineador de ojos negro líquido al borde del párpado superior y exagera ligeramente la línea en el extremo externo. Para un efecto realmente sorprendente, pon pestañas postizas individuales o en tira antes de aplicar una generosa capa de máscara negra a las pestañas superiores. En las inferiores se utiliza una máscara más fina o clara, ya que no se han definido.

Y POR ÚLTIMO...

Los lunares eran muy populares en los cincuenta por lo que, por cuestiones de autenticidad, ¡puede que quieras ponerte uno con un lápiz de ojos marrón o negro!

ostentación y glamour

Muchos estilos de maquillaje que vemos hoy en día están basados en modas de los sesenta y los setenta. Los ojos humeantes y los colores vibrantes representan perfectamente a estas épocas y con los toques modernos podemos crear ¡la apariencia más drástica, sexy y sensual de todos los tiempos!

Véanse las páginas 140-143 para ver cómo se crea esta apariencia

cómo...

CREAR UNA APARIENCIA DE OSTENTACIÓN Y GLAMOUR

1

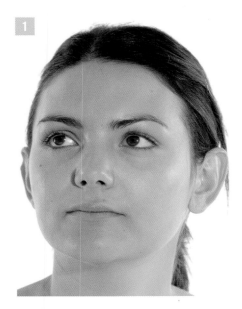

① Aplica una base simple en toda la cara para reflejar la luz y dar una apariencia luminosa a la complexión. Utiliza corrector sobre cualquier imperfección en torno a los ojos y la nariz para culminar el lienzo.

2

② Pon con un pincel una generosa cantidad de polvo translúcido y aplica una capa adicional bajo la zona del ojo para proteger de la caída de partículas sueltas de la sombra de ojos. Cualquier polvo de ojos que caiga sobre la cara se podrá cepillar fácilmente sin estropear el resto del maquillaje.

③ Aplica una sombra de ojos en crema o polvo blanco a todo el párpado con un resaltador adicional blanco bajo el arco de la ceja.

④ Con cuidado aplica lentamente una sombra oscura, de color ciruela o negro al párpado y a la cuenca del ojo y difumina para suavizar la apariencia del borde. Los lápices de sombras suelen ser lo mejor aquí para controlar realmente el color.

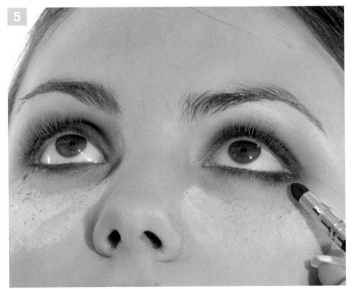

⑤ Aplica la sombra al párpado inferior cerca de las pestañas y repásala con un pincel difuminador o una esponja hacia los extremos internos y externos del ojo.

⑥ Aplica una gruesa línea líquida a la parte superior de las pestañas y extiéndela hasta dar un toque de pluma en el extremo externo del ojo. Para exagerar realmente los ojos, aplica un delineador de ojos líquido o un lápiz negro al extremo interno del ojo y a la línea de las pestañas inferiores.

⑦ Aplica pinceladas de máscara a las pestañas inferiores y superiores y, para un resultado homogéneo y aún más espectacular, riza las pestañas o añade extensiones individuales para perfeccionar realmente esta apariencia. Para un toque de brillo, recubre las pestañas con máscara con purpurina.

⑧ **Un maquillaje en crema o un colorete rosado completarán las mejillas, por lo que debes difuminarlos en el pómulo de las mejillas y a lo largo de las mismas.**

⑨ **Para acabar este look, elige una barra de labios que complemente el color de la sombra de ojos: los colores oscuros quedan estupendos con unos ojos tan cargados. Utiliza un lápiz y una barra de labios del mismo color para resaltar tus rasgos naturales. En los sesenta se aplicaba un brillo de labios muy pálido por lo que, por cuestiones de autenticidad, ¡prueba este viejo truco! Un brillo para el acabado añadirá resplandor y destellos sexys a esta apariencia.**

apariencia atrevida

Los ochenta se centraron en un pelo voluminoso, hombreras exageradas y ¡un maquillaje salvaje e intimidante! En los noventa vimos todo tipo de looks, desde labios y ojos oscuros de vampiresa hasta bronceados y naturales y aunque algunas preferiríamos olvidar algunos de estos elementos de la moda, podemos apreciar su arte creativo. En estos años surgieron algunos looks fantásticos que han moldeado la apariencia de hoy en día.

Véanse las páginas 146–147 para ver cómo se crea esta apariencia

cómo...

CREAR UNA APARIENCIA ATREVIDA

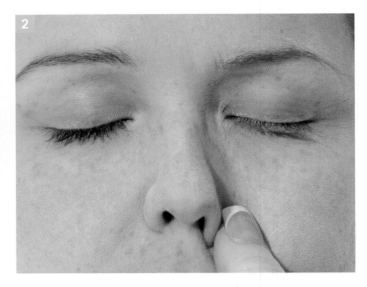

② Pon corrector bajo los ojos y alrededor de la nariz utilizando un corrector o un lápiz grueso para evitar la pesadez de una barra con base de cera. Aplica una sombra color champán con destellos para difuminarla con los tonos naturales de la piel de forma que recubra los párpados sin que se vea demasiado. Utiliza un perfilador blanco bajo las cejas para acentuar y agrandar los ojos.

① El truco para lograr una apariencia natural es el maquillaje. Ha de ser claro y simple para iluminar la piel y mostrar los tonos naturales.

③ Las extensiones de pestañas en tiras o individuales añaden glamour y una fina pero alargadora capa de máscara marrón o negra resaltará la profundidad de los ojos. Para más profundidad, pon lápiz o delineador de ojos marrón o gris en los extremos exteriores de las pestañas superiores e inferiores y extiéndelo con un pincel de esponja para dar una apariencia difuminada.

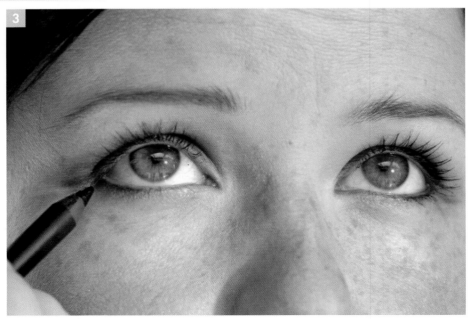

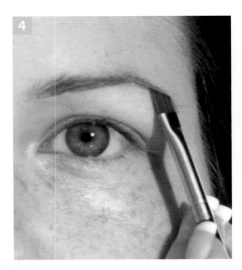

④ **Si los ojos son pequeños, un delineador de ojos blanco aplicado en la parte interna del párpado inferior agrandará los ojos. Se pueden aclarar las cejas muy oscuras para darles más luz y crear una apariencia más suave, o utilizar un lápiz con un color dorado oscuro o un pincel de cejas y sombra para ocultar cualquier calva o diferencia del crecimiento del vello.**

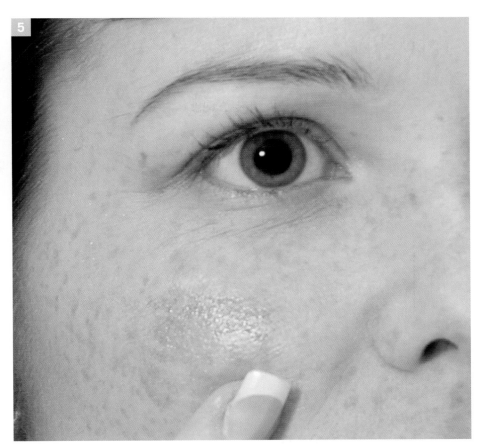

⑤ **Un colorete en crema o líquido en el pómulo de las mejillas incorporado de forma homogénea dará una apariencia de brillo melocotón o rosado. Los bronceadores sólo funcionan realmente en las pieles más oscuras, mientras que los rosas y melocotones quedan estupendos en complexiones más pálidas.**

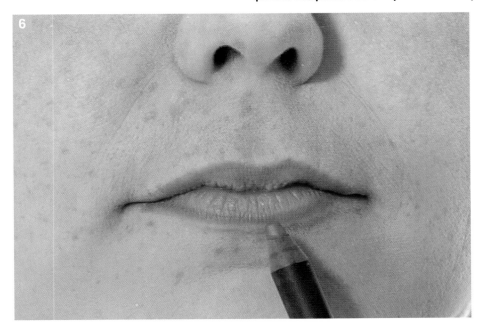

⑥ **Dibuja la línea de los labios con un rosa neutro o un marrón muy claro y después rellena los labios con un brillo rosa sencillo para dar una apariencia húmeda y muy natural.**

metal-manía

El *Glam rock* y el *punk* estaban muy a la moda a principios de los ochenta, y las apariencias metálicas con líneas duras y purpurina eran muy populares. Esta apariencia siempre queda bien para las fiestas y cuando realmente quieres demostrar tu talento con el maquillaje.

Véanse las páginas 150–151 para ver cómo se crea esta apariencia

cómo...

CREAR LA APARIENCIA DE METAL MANÍA

① Aplica un fondo de maquillaje de base para homogeneizar el tono de la piel y neutralizar cualquier irregularidad en el color. Oculta las sombras oscuras y cualquier diferencia de tono con un corrector líquido.

② Difumina una sombra de base dorada o plateada sobre el párpado hasta las cejas y aplica un perfilador blanco bajo la ceja para resaltar el color del ojo y potenciar el efecto del maquillaje. Utilizando una esponja fina o un lápiz de sombra, dibuja una suave línea de sombra más oscura o coloreada alrededor de la cuenca del ojo para añadir profundidad y amplitud de los ojos.

③ **Abrillanta las cejas con un poco de purpurina o sencillamente con un polvo de destellos del mismo color que el vello de las cejas. Añade un toque de destello líquido a la parte superior e inferior de los párpados y pestañas postizas plateadas para conseguir realmente esa apariencia metálica de vampiresa. O puedes utilizar sencillamente una máscara coloreada para lograr una apariencia menos ostentosa.**

④ **Pon colorete en las mejillas según tu tono natural o, si realmente te atreves, ¡prueba con destellos plateados! Añade brillo a la cara poniendo por encima un polvo brillante.**

⑤ **Utiliza un delineador de labios gris o cobrizo para definir los labios y después rellena con lápiz de labios metálico o simplemente ¡purpurina pura!**

apariencia natural

En el maquillaje moderno no hay reglas; puedes experimentar con el color, la textura y el estilo, y ¡todo vale! Siéntete cómoda con lo que te pones y demuestra que eres inventiva, creativa y ¡tienes un corazón salvaje!

Véanse las páginas 154–155 para ver cómo se crea esta apariencia

cómo...

CREAR UNA APARIENCIA NATURAL

② Aplica una sombra en crema de un tono claro en la cuenca del ojo hasta la ceja y difumina exhaustivamente para garantizar que has recubierto todo el párpado. Este lienzo de base proyecta la luz a todo el párpado abriéndolo y haciendo que el ojo parezca más grande.

① Aplica una base de maquillaje con un corrector para ocultar imperfecciones, granos o áreas más oscuras de la piel. Pon polvo sobre la base para fijarla.

③ Una sombra blanca o más pálida bajo las cejas destacará los ojos y añadirá profundidad. Pon sombras con un tono medio u oscuro sobre la cuenca y difumina únicamente en el extremo de la cuenca. Añade un toque de un tono arcilloso en el extremo externo del ojo utilizando verde, cobre oscuro, azul oscuro o gris. Para potenciar aún más, sigue poniendo color por debajo de las pestañas inferiores cerca de la raíz y esparce con una esponja o un bastoncillo de algodón. Dibuja las cejas con un lápiz para definir el color y darles una apariencia más gruesa y natural. La máscara marrón o negra alargará y espesará las pestañas al tiempo que agranda los ojos, por lo que debes añadir una doble capa y peinar para quitar cualquier pegote.

④ **Pon sombras sobre el pómulo de las mejillas con un brillo rosa claro y resalta la parte superior de los pómulos con polvos brillantes o brillo en crema para dar lustre y una apariencia saludable a las mejillas.**

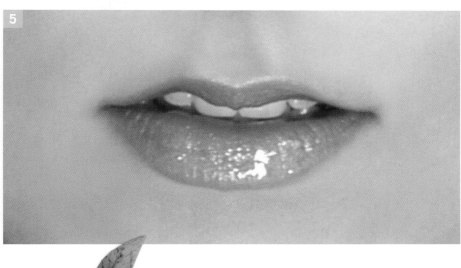

⑤ **Dibuja la línea de los labios con un delineador marrón de tamaño medio y rellene con brillo marrón o una barra de labios mate de tono natural. ¡Añade un toque de brillo nocturno utilizando brillantina, vaselina y purpurina siempre que puedas!**

agradecimientos

Quisiera dar las gracias a Steven Clennell y Anthony Braden Cosmetics por proporcionarme un surtido tan inspirador y maravilloso de maquillaje. A Celine Bopp por su instintivo y fabuloso arte de maquillaje para The Looks y a las incansables modelos Charlotte y Charlotte, Rupi, Gray, Lorraine, Laura, Hanna, Taru, Lucy, Lisa, Alex y Colette por su paciencia y ¡disponibilidad para ser aventureras! Gracias también a Paul West cuyas fotografías son todo un arte por derecho propio. Y gracias asimismo a Corinne por quitar mis chistes malos, y a Rosemary por haber tenido esta maravillosa idea.

Finalmente, gracias a mi familia por sus recuerdos e ideas y a mi paciente pareja y mejor amigo Elliot que siempre ha sido mi auténtica inspiración.

índice

A

ácido ascórbico 25
ácido hialurónico 25
acné 26, 38, 112
 adulto 29
adolescentes:
 cuidado de la piel 26, 112-113
 maquillaje 113, 114
 piel 112
afeitado (hombres) 104-105
AHA (ácido alfa hidroxiácido)
 productos 37, 39, 46, 49, 55
amortiguadores 73
antienvejecimiento:
 exfoliaciones químicas 55
 productos 22, 25, 36, 39, 122
antioxidantes 23, 25, 41
apariencia
 atrevida 144-147
 de los cincuenta 134-137
 de ostentación y glamour 138-143
 metal-manía 148-151
 natural 152-155
aplicación de colorete 35

B

bacterias 20, 26, 35, 39, 40, 43
bálsamo de labios 99, 129
barra de labios 98, 129
 aplicación 100
 colores 98, 99
 pinceles 13, 99, 101
 tipos 98
base
 de labios 70, 101, 129

de ojos 70
 facial 70
bases
 de difusión de la luz 66
 reconfortantes de la piel 66
 simples 66
 véase maquillaje corrector
bastoncillos de algodón 11, 99
Botox 55, 81
brillo para labios 90, 98, 99, 101
 aplicación 100
bronceado 56, 113
 artificial 56, 57, 113
 falso 56, 57, 113

C

capilares, rotos 28, 29, 74
cejas 50
 dar forma 51,81
 de adolescentes 113
 decoloración 52
 de hombres 107, 108
 depilación
  a mano 51, 81
  con cera 52
 estimación del arco 50
 lápices 127
 pinceles 13
 separador 13
 tratamientos 51
cloasma 20
coenzima Q10 25
colágeno 23, 25, 34, 56
 inyecciones 55, 101
color: colorete 92
 barras de labios 98, 99

sombra de ojos maquillaje 68-69
colorete 92, 128
 aplicación 95
 colores 92-93, 94
 pinceles 12
 tipos 92
corrector 72, 73, 114, 126
 aplicación 74
 para hombres 107
conjuntivitis 20
contaminación 22, 37, 112
contorno facial 76-77
contorno, facial 76-77
 para hombres 107
correctores del color 72-73
cuidado de la piel:
 adolescentes 26, 112-113
 en los cincuenta 29
 en los cuarenta 28
 en los treinta 28
 en los veinte 26
 hombres 106-107
 por la noche 36, 125
 productos 122-123

D

delineador de ojos 84, 128
 aplicación 85
 pinceles 13
dermatitis 20
dermoabrasión 25, 55
dieta 23, 41

E

eczema 20
endorfinas 41

espinillas *véanse*
  imperfecciones/granos
espolvorear 37, 39, 40, 45
esponja difuminadora 13
estrés 22, 41
exfoliación 46, 424
  para hombres 106
exfoliaciones químicas 25, 28,
  55, 124

F
funciones linfáticas, sistema 41,
  46, 47, 80, 124

G
golpes de calor 29

H
herpes 18, 20, 99
hidratación 45, 125
  de hombres 106, 107
hidratantes 123
higiene 20-21
hiperpigmentación 18, 63
hombres:
  afeitado 104-105
  cuidado de la piel 106-107
  hormonas 41
  maquillaje 107-108
  piel 104-107
hormonas 41
huesos, de la cara 47

I
iluminación 118-120

imperfecciones/granos 22, 38,
  49, 126
impétigo 20
impulsores, internos 41
infecciones 20-21, 99
infecciones por hongos 20

J
jabón 43

L
labios: corrección de la forma
  101
  maduros 29
  protección 99, 107, 129
lápices de labios 99, 101, 129
  utilización 100
lápices de ojos 82-83, 84, 128
  aplicación 85
lentigo 20
lentillas 89
limpiadores 122-123
limpieza 42-43
  para hombres 106
  para mujeres 112
líneas y arrugas 29, 56
lunares de belleza 137

M
manchas 20
manto ácido 43, 69
maquillaje 126
  apariencia atrevida 144-147
  apariencia de los cincuenta
  134-137
  apariencia de ostentación y
  glamour 138-143

apariencia metal manía 148-151
apariencia natural 152-155
aplicación 71
de adolescentes 113, 114
de bodas 120
de día 118
de encubrimiento 20
de hombres 107-108
de ojos 88-89
  día 88
  fiesta 89
  noche 88
  véase también: sombra de
  ojos, máscara
de pieles aceitunadas 62
de pieles claras 61
de pieles maduras 29-30
de pieles oscuras 63
desigual 22
efecto del sol sobre el 57
elección del color 68-69
fotográfico 118-120
nuevos inventos 68
pinceles para 12
quitar, *véase* limpiadores;
  limpieza;
tipos 66-68
masaje, facial 47, 48
  para hombres 107
máscara 86-87, 128
  aplicación 87
  base blanca 86, 128
  para hombres 107
mejillas, para resaltar 77, 93
melanina 18, 56
microdermoabrasión 55
milium 36

O

ojos:
 corrección de la forma 83
 drenaje linfático 80
 maduros 29
 productos para refrescar 80, 125
 tratamientos 125

P

pestañas:
 alargar 86
 de hombres 107, 108
 extensiones 54, 81, 87
 rizado 11, 86, 128
 permanente 53, 81
 separador 13
 teñido 53 *véase también*
 máscara
piel aceitunada 62
 barra de labios para 99
 bronceador para 94
 colorete para 92
 sombra de ojos para 84
piel dañada por el sol 28, 39
 exfoliación 46
 máscaras para la 49
piel deshidratada 37
piel grasienta 38
 exfoliación 46
 mascarillas para 49
piel madura 36, 39
 exfoliación 46
 maquillaje de 29-30
 mascarillas para 49
piel oscura 63
 barra de labios para la 99
 colorete para la 93, 94

polvos compactos para la 94
 sombra de ojos para la 64
piel pálida 61
 barra de labios para 99
 bronceador para 94
 colorete para 92, 94
 sombra de labios para 84
piel seca 36
 para exfoliar 46
piel sensible 40
 exfoliación 46
 mascarillas para la 49
piel:
 adolescentes 112
 cambios 18, 20
 de hombres 104-107
 desórdenes 20
 estructura 34-35
 genética 24, 122
 hacer mate 29, 70
 imperfecciones 22, 38, 49
 infecciones 20-21
 lesiones 18, 20
 proceso de envejecimiento 26-29
 sensibilidad 18, 26
 tipos 35-39
pigmentación:
 hiper 18, 63
 irregularidades 19, 39, 112
pinceles 10, 12-13
 para guardar 14
 para limpiar 14
pinceles para labios 13, 99, 101
pinzas 11
polvos 75
 bases/prebases 18, 29, 70, 101

pinceles 12, 127
psoriasis 20
translúcidos 93, 99, 127
productos
 con lavanda 112, 114
 con purpurina 129
 de aromaterapia 39
 de brillo 129
 del árbol del té 26, 112
protección solar 56 *véase también,* sol, protección del

R

radicales libres 22-23, 35, 56
reacciones alérgicas 18, 40, 42
risa 41
rizadores de pestañas 11, 128

S

sacapuntas 11
sangre (sistema circulatorio facial) 47
sebo 28, 35, 36, 38, 112, 125
sistema circulatorio, facial 47
sol, protección del 23, 36, 39, 40, 45, 56, 112-113
sombra de ojos 81-83, 127
 color 84
 pinceles 12-13
spa de la piel, mini 46, 48
sudoración 22, 112
sueño 41, 125

T

terapia del color 60
tiña 20
toallitas para la cara 43, 123

tonificadores 123
tonificar 45
  adolescentes 112
  hombres 106
tonos de piel 60
  clara 61, 84
  olive 62, 84
  oscura 63, 84
transferencias de grasa 55

tratamientos
  de suero 124, 125
  en ampollas 125
treinta: cuidado de la piel 28

V
veinte: cuidado de la piel 26
vello facial, depilación con cera
  54

verrugas 20
virus 20
vitamina
  A 25
  C 25
vitiligo 20

Z
zona T 38, 71